莉娜的爸爸惊呆了，就是眼前这只熊——那些猎人们想要猎杀的熊——保护着自己的孩子，远离山里的危险，远离黑夜，远离冰冷刺骨的寒风。它替他做了一个爸爸该做的事。

克莱尔·克莱蒙 生于巴黎。母亲是图书管理员，父亲生来就是讲故事的高手，很早就培养了她阅读和写作的兴趣。克莱尔十岁开始写短篇小说，并将其圣诞礼物送给姐妹。如今，她是 DLIRE 杂志的编辑，与丈夫和孩子们生活在巴黎附近的一艘驳船上。

以此献给伊夫、玛丽·阿涅斯、伊丽莎白。

少年励志小说馆
Youth Inspirational Fiction Section

早安，莉娜！

[法国]克莱尔·克莱蒙◎著

蔡莲莉◎译

湖北长江出版集团
HUBEI CHILDREN'S PRESS
湖北少年儿童出版社

图书在版编目(CIP)数据

少年励志小说馆.1 / (法)克莱蒙著;蔡莲莉译.—武汉:湖北少年儿童出版社,2011.12
ISBN 978-7-5353-6515-6

Ⅰ.①少… Ⅱ.①克…②蔡… Ⅲ.①儿童文学—中篇小说—小说集—法国—现代 Ⅳ.①
I565.84

中国版本图书馆 CIP 数据核字(2011)第 251426 号
著作权合同登记号:图字 17-2011-165

La petite caillotte

la petite caillotte © Bayard Editions, 2010
本书中文简体字版权经法国 Bayard 出版社授予海豚传媒股份有限公司,由湖北少年儿童
出版社独家出版发行。

少年励志小说馆 Youth Inspirational Fiction Section **早安,莉娜!**

[法国]克莱尔·克莱蒙/著 蔡莲莉/译
责任编辑/王桢磊 黄 穗 梅 可
美术编辑/沈 霞 装帧设计/钮 灵
封面绘画/海德薇
出版发行/湖北少年儿童出版社
经销/全国新华书店
印刷/深圳市福圣印刷有限公司
开本/889×1194 1/32 10.25 印张
版次/2015 年 7 月第 1 版第 3 次印刷
书号/ISBN 978-7-5353-6515-6
定价/27.60 元(全两册)

策划/海豚传媒股份有限公司(15060928)
网址/www.dolphinmedia.cn 邮箱/dolphinmedia@vip.163.com
咨询热线/027-87398305 销售热线/027-87396822
海豚传媒常年法律顾问/湖北珞珈律师事务所 王清 027-68754966-227

把最温暖的成长关怀献给孩子

黄艾艾

大约七年前,因为一部快乐有趣的法国儿童动画片《Sam Sam》(中文译名《闪闪小超人》),我结识了出品这部动画片的法国著名出版社——巴亚出版社(Bayard)负责亚太区的版权编辑。我注意到,巴亚出版社的电子书目上,每年都会增添一两本最新的平装少年小说封面。那些封面上的男孩女孩,看上去都是心事重重的样子。

我请懂得法文的朋友给我讲述了这些小说的故事梗概。原来,这些故事都很特别,涉及了少年成长中可能遇到的种种难题、挫折和困惑,例如生活的突然变故,身边最亲的亲人过世,父母亲的离异,身体的残障,心理的孤僻和自闭等等。显然,这是一套十分温暖贴心的"成长关怀小说",中国的儿童文学作品里,还比较少见这样的能够帮助孩子们去解决具体的成长困惑的作品(当然,我们后来也有了像黄蓓佳的《我飞了》、《你是我的宝贝》这样同类型的儿童小说)。

令人欣喜的是,近几年来,巴亚出版社的好几套优秀的童书,都被海豚传媒引进了版权,出版了漂亮的中文版,包括那套故事和插画都堪与一些图画书媲美的儿童分级读物《我爱阅读丛书》(60册),以及那部在法国几乎家喻户晓的长篇儿童动画片《Sam Sam》,其中也有我曾看到和推荐过的这套"成长关怀小说"。

多么温暖、明亮和澄澈的励志小说!温润的成长慰藉,细致的心灵疏导,对弱小的生命的悉心关怀,对人性之初的深切的爱与知……都像涓涓流淌的温暖的小溪,像照射进清晨的小树林的明亮的阳光,融化在清丽的文字和娓娓动听的故事里。

《请为我骄傲》里的小男孩大卫,在被森林环绕的湖水边长大。在学校里,他显得那么落落寡欢、格格不入,可是一回到森林和湖边,他是那么快乐和舒展,因为有小鸟和微风给他作伴。他在阁楼里发现了爷爷的伐木工具之后,就开始度过一段段快乐的伐木时光。他多么希望有一天爸爸能够为他感到骄傲。他和那只忠诚的狼狗结下了多么动人的友谊!狼狗从激流中救起了大卫,自己却永远离开了小主人……假如我们不曾像大卫的爸爸一样走进这个性格孤独的小男孩的生活天地,我们也许不会真正地为这样的孩子感到骄傲。而在我们身边，又有多少这样被忽视和被冷落的孩子。

在《爱的手势》里，小诺艾十岁的时候，妈妈就去世了，爸爸也不知去了哪里，他开始和爷爷奶奶生活在一起。一只名叫"荷马"的鸭子，分担了他内心的孤单和悲伤。还有《早安，莉娜！》里的小女孩莉娜，自从妈妈去世了，她就发现自己的心事越来越多了，她的生活里没有了快乐，没有了阳光。她好想离家逃走啊，因为她渴望有一个"避难所"。《西奥，加油！》里的小男孩西奥，坐在轮椅上已经有十年了，他已经厌倦了不停地说"谢谢"和"请"，他真的不想再过依赖别人的生活了。现在，他开始从自己穿衣、自己洗澡开始，慢慢学着自己打理自己的生活……

《秘密楼阁》里的小尼尔森，他的爷爷已经去世多年了，可是他还是那么想念自己最亲爱的爷爷。他将怎样走出最亲的亲人的死给他带来的困惑呢？还有多少秘密，隐藏在他小小的心灵的阁楼里呢？

《谁拐走了外公》里的小女孩小璐，也是从小就和外婆外公非常亲近，可是有一天，外婆去世了，外公陷入了无尽的悲伤之中，不再愿意和任何人交流。小璐多么想帮助外公走出悲伤啊！但是妈妈却找不到更好的选择，只能把外公送到了老人院。小璐无法接受这个做法，她想到一个主意,自己"拐走了外公"……

儿童文学作家诺斯特林格说过这样的话:"我给孩子们写书的方法很简单:既然他们生长于斯的环境不鼓励他们建立自己的乌托邦,那我们就应挽起他们的手,向他们展示这个世界可以变得如何美好、快乐、正义和人道,这样可以使孩子们去向往一个更美好的世界,这种向往会促使他们思考应该摆脱什么、应该创造些什么以实现他们的向往。"这些小说,正是直面了孩子们成长中可能遇到的一个个具体难题,娓娓讲述着一个个温暖的故事,为一颗颗需要帮助的幼小的心打开了一道缝隙,透进了最温暖的光亮,最终帮助这些孩子走出了种种阴影和困境,重新获得了成长的信心、快乐和勇气。

这样一些孩子,不也都是世界赐给我们的宝贝吗?那么,去疼爱他们,去关心和了解他们,去把他们拥抱在怀里,搂到身边,呵护他们,给他们鼓励和微笑,我们所有的父母、老师和成年人,还有多少事情要做!

(作者系儿童电视节目编导、儿童文学作家)

1

　　莉娜在奔跑,而且速度很快,轻快得双脚几乎是掠过地面,蓟菜、尖尖的小石子、蛇被侵扰发出的怒吼,这些对她来说都是不存在的。她记得森林里的每条小路,她越过了溪流,跃过枯萎的树干,头发在风中飞舞,就像妈妈说的,这是午夜的头发……

　　森林深处,莉娜看到了灌木丛里满是红色的浆果,密密麻麻一片。当太阳照到这里,远远望去,就像是一个巨大的苹果。这里有空心的橡树,松鼠在类似脐眼的地方筑起了巢。抬起头,莉娜便可以看到两只正在酣睡的猫头鹰,紧紧依偎。在一片蕨的荫蔽下的羊肠小径后面,如果她稍微往前走一点,就可以看到它……就在右边,跟昨天一样的位置。

昨天……莉娜睡得不好,她带着一种忧郁醒来,此刻她心中只有一个愿望:消失在森林里,看看日出,听鸟儿歌唱,它们从黎明之后就开始一唱一和了。悲伤的时候,莉娜都会毫不犹豫地跑向森林,尽管已经是十月初了,寒冷变得越来越凛冽。

有时,她会在高处即兴跳起舞蹈,来回穿梭在树丛中,一个人张开双臂旋转着,好像在飞一样。过一会儿,带有小梨涡的双颊便会出现一个浅浅的微笑。

也许是因为以前经常和妈妈一起来森林,这里就像是莉娜的家一样!

妈妈喜欢森林的幽暗拱顶,喜欢这里繁茂的树木,苔藓和蘑菇雨后的味道……有时候她甚至为了能更好地呼吸到这种味道而躺在地上。妈妈告诉莉娜树叶正在低声议论她们的到来,还有一定不能将它们与那些爱说闲话的人相混淆。

"妈妈,这是为什么?"有一天,她问道。

"我的小加洛特,永远不要忘记我们只是这个森林的客人。还有就是,有教养的人会在进门前先敲下门。"

"但是这里没有门呀!"莉娜说道。

妈妈笑了。

"门,是造出来的。咚,咚,咚……亲爱的树木们,我们可以进来吗?"

这时,树顶的叶子晃了晃。是风吹过吗?动作是那么轻柔,仿佛树木在向她们示好。

"我非常感谢你们。"妈妈说,并十分虔诚地鞠了一躬。

莉娜连忙跟着妈妈做。

莉娜放慢了脚步,此时的她是一只脚长了肉垫的猫,走起路来无声无息。所有那些想知道她行踪的人都徒劳无功。而她就在这,蹲在跟门差不多大的树干后面,聆听那条流经森林的小溪的淙淙水声。

她屏住呼吸……尽量不发出可能暴露她存在的喘息声。莉娜想象她睡着了,睁着大眼睛,整个身体放松,呼吸变弱了；只是肚子里还传出轻微响声……

突然，一根树枝断了。她凑紧耳朵，有沙沙的声音。不，这更像是摩擦的声音。

啊，啊，树的顶端动了，就在那边……莉娜努力地看着，她看见了，庞然大物，站着，张着大嘴，头朝后，它的背贴着树皮，来回摩擦。毛茸茸的外皮几乎呈黑色……

莉娜想道：午夜的皮。她被自己的这个想法逗乐了。

昨天莉娜发现它的时候，她明白它并不是第一次来这里。它似乎熟悉每一个地方，能够准确找到浆果的位置，还知道要选择最粗糙的树皮去抓痒。

它看过她跳舞吗？

它刚放下双脚，便带着略微笨拙的脚步，急忙溜进灌木丛里。但它大腿和臀部的力量多大呀！莉娜还是被吓到了，她心里却有了一种奇特的乐趣。看着这只熊，拖着庞大的身躯移动，力量虽大却也温柔，莉娜觉得心里被填满了，有种幸福的感觉。她观察了这只熊整整几个小时。"为什么，"她自言自语，"为什么这只熊能给自己带来这样的感觉？"为什么她觉得自己呼吸得更顺畅了？感觉就像是一阵迅疾的雨倾泻山谷之后，天空得到的解放。

二十年来，人们一直在比利牛斯地区引进熊，时不时有徒步的人在取道那些人迹罕至的小路时，被它们吓到。那些人回到村子的时候，虽心有余悸，却也仍会用大量语言跟动作来描述他们在森林中的遭遇。

莉娜猜，这只熊应该还年幼。一岁，或者两岁，不可能再大了。它本应该等到长大了，成熟了才离开熊妈妈独自生活，而不是现在。难道熊妈妈没有告诉它自己一个可能会遇到的危险吗？难道她也没有提醒它人类会捕杀它们这类动物吗？尽管政府禁止捕杀熊，但每年还是会发生一些"意外"事件，像是有狩猎者声称他杀死熊的行为是在进行正当防卫，又或者有人说他将熊误以为是野猪，所以才杀了它。但是没有人会相信。生活在山里的人认为杀死熊是一种英雄的行为，这是可以被当成战利品陈列在柜子里的摆设。

莉娜没有将这件事告诉别人。尽管当时很缺粮食，莉娜还是会想方设法给它带些，另外还会尽力地帮它掩饰，以免它在冬眠之前被人发现。

到了该回家的时候了。

她的小弟弟蒂图安——她叫他蒂图——通常在这个时候醒。她最好能在旁边照顾他。更何况，她的奶奶阿莫娜可能会因为她不见了而担心呢。

"明天见……"莉娜轻声说，那只熊已经消失在树丛中。

莉娜恢复欢快的样子，又蹦又跳地下山了。

莉娜心里暗自决定了：我就叫它艾凡。因为艾凡跟英雄艾凡赫的名字很像。艾凡是庞然大物，艾凡是巨兽……这再适合它不过了。它除了身材庞大以外，还很温柔……

艾凡，艾凡……

2

　　莉娜的家在狭窄的山谷尽头，那是一个夹在峭壁之间的山谷。每次莉娜看到她家，总是有种揪心的感觉。小时候，她经常拉着妈妈的手，央求妈妈放下手头的活儿带她去爬山，去寻找阳光，在山上，似乎可以快活一些。

　　山谷的雪不是白色的，是带着点阴郁的蓝色。在山谷里，不管冬夏，四点就天黑了。如果天黑之后又下起雨，莉娜都会不由自主地哭起来。她眼睛里闪烁着晶莹的泪光，如同那些细小的钻石，一切就都看不见了。

　　有时候，莉娜会觉得上帝忘记了他们。不止是上帝,连人们也是！没有人会经过这里,甚至连卖苹果的人都不会去敲她家的门。虽然如此,却偶尔也会有像莱昂这样的牧羊人路过,他们已经厌倦了独自和一群羊待在一起的感觉。这样,起码他们觉得自己还是有人陪着的,不至于那么孤单,无聊。

有时也会有些不速之客,像是儿童社会福利员玛丽昂·阿里埃达。她很惊奇蒂图四个月大了却还没有接受必要的医疗检查。她来到蒂图家的时候,蒂图的爸爸对她很冷淡。对于蒂图的爸爸来说,别人来家里打扰他,插手他的家事,特别是给他上课,这些都让他无法忍受。自从蒂图的妈妈去世之后,稍微一点小事就会有他变得急躁。

玛丽昂又一次愤怒的离开,她说如果下星期六还不带蒂图去妇幼保护厅看医生的话,她还会再来。那里,莉娜也曾经去过。

莉娜经常想：妈妈能忍受这样的孤独吗？她幸福吗？妈妈还在的时候,总是一边做事一边轻声哼着歌,莉娜从没有听见她抱怨过一句。她总是微笑着,除了爸爸带着微微的醉意从镇上回来……这时妈妈的蓝眼睛变得暗淡,笑容也是阴阴的。但这种情况很少,很少。

莉娜推开窗户,跳了过去,一下进了房间。

"莉娜,莉娜……"

蒂图听到声响,知道她回来了。他站在床上,笑得很开心,拍着手欢迎姐姐。莉娜关上窗户,拥抱了弟弟。

"我的小淘气,做个长大的样子给我看看。长大应该是怎样的?"

蒂图举起双手,每次这个动作都会让他咯咯地笑起来。

"长……大……是……这……样……的……"蒂图答道。

"怎样是长大?"莉娜又问了一次。

"长……大……是……这……样……的……"蒂图踮起脚尖,又重复了一遍。

"怎样才是长大?"莉娜问道,开始做跳跃状。

"这样……"蒂图强调着,一边学着姐姐的样子。

"哦嗬!"莉娜欢呼。

这是一个信号。这时，蒂图会张开双臂，接着莉娜抱起他，开始转圈圈。

蒂图一直笑着，笑着，笑着……

蒂图出生时，莉娜很开心，看他看了很长一段时间。她自言自语：他跟我想象中的一样。圆溜溜的，脸上没有一点皱纹，小拳头，大眼睛，金黄色的汗毛。之后，他的头发长得飞快，但妈妈却从来没有看过。妈妈头发的颜色也是金黄色的。蒂图出生后一个礼拜她就去世了。

五月的那个早晨，莉娜采了一束她喜欢的花要送给妈妈，有龙胆草、水仙花，还有黄百合缀在中间，如太阳一般骄傲。

"我的小加洛特，好好照顾他……"妈妈喃喃细语，"他需要你……"

我的小加洛特，妈妈这么称呼莉娜。妈妈是从诺曼底来的，在那里，加洛特的意思是小鹈鹕。

起初，接受妈妈的死显得十分艰难。莉娜甚至都无法去看蒂图一眼。她宁愿是他死了，而不是妈妈。毕竟，她从来就不认识他。每当莉娜回想起妈妈被紧急送往医院的情景,都有种想哭的冲动。

莉娜再也没有见过妈妈。

接下来的两个月,莉娜没有吻过蒂图,甚至都不看他一眼。莉娜的动作既简洁又机械,她给他喂奶,他喝完之后,她给他换一个新的奶瓶,哄他睡觉。什么话也没说,没有,什么都没有。

莉娜总是尽可能地逃往森林。

她刚一回来,就听到蒂图在哭。他饿了。莉娜就给他吃的。为了尽快摆脱他、忘记他,她的动作迅速而敏捷。

3

　　蒂图再也承受不了，渐渐地不吃东西了。莉娜一要给他奶瓶，他就把头转向另一边。他甚至也不哭闹了。他总是待在床上，不睡觉，睁着眼睛整整几个小时。

　　他才两个半月大。

　　莉娜有些担心，她告诉爸爸："蒂图有双奇怪的眼睛。"

　　爸爸盯着她，面无表情，就像他自己采掘出来的石头。

　　"哦，然后呢？"过了一会儿，他答道。

　　莉娜低下头，接着是一阵长时间的沉默。

　　沉默像是在大声抗议：为什么会奇怪？那是因为

他还活着！

莉娜的哥哥托尼尽管还是和往常一样同她亲近，但没有一点要帮莉娜的样子。他耸了耸肩膀，继续埋头看他的体育新闻去了。

莉娜也不再坚持，她直接去找威利舅舅，他是妈妈的弟弟。

那时村子里的锯木厂卖了，身在诺曼底的舅舅整天精神萎靡，妈妈警告他，要他离那个锯木厂远远的。妈妈是舅舅唯一的亲人。10年前，舅舅结束了自己的生意来到这里，再也没有回去过。

结束了一天的工作之后，威利舅舅坐在锯木厂前的一块圆木上，一只手里拿着烟斗，另一只手端着咖啡，凝望着山峰。从前，他经常带着冰镐、绳索，还有一些重量级装备去远足。有一天他摔碎了膝盖，从此之后，就如他所说，他开始热衷于一些轻松的漫游。

在妈妈的葬礼上，莉娜看到他哭了。对于一个没有妻子没有孩子的孤家寡人来说，失去了唯一的姐姐他应该感到孤独。因而他将所有的感情都倾注在莉娜身上。

威利舅舅给蒂图做了检查，他试着去迎着蒂图的目光。他试着让手指发出声音，希望可以让蒂图转过头来，但蒂图没有任何反应。舅舅接着用手电筒照蒂图的眼睛，他会眨眼。因而威利舅舅得出结论："蒂图很健康，身体没有问题。但是这小家伙却因为忧郁而正在渐渐死去。他缺的就是——一个妈妈。"

莉娜心里像被重重一击：我的小加洛特，好好照顾他……

悲哀的是，她不关心弟弟，更痛心的是，她已经抛弃他了。

"在家里，除了你，还有谁照顾他？"威利舅舅问道。

莉娜没有回答。威利舅舅因为她的惊慌失措皱起了眉头。

谁照顾他？不是哥哥，更不是爸爸。但她自己是那个真正照顾他的人吗？

威利舅舅觉察到了莉娜的窘迫，他接着说道："莉娜，应该要有人照顾蒂图。你再过一个月就回学校了，就再也没有时间可以照顾他了。"

他想了一会儿说："我有一个主意，但我要先跟你爸爸谈一谈。"

一个月后，也就是八月末，阿莫娜出现了。她卖了房子，她虽然有关节炎，但却依然充满活力。一天晚上，她突然在威利舅舅的陪同下来到莉娜家。莉娜的爸爸好像喝醉酒一样，怎么都站不稳。阿莫娜用她炯炯有神的眼睛看了看他。莉娜惊愕看着爸爸，他就像小孩一样，身体左右摇摆，晃来晃去。

"儿子，看看你现在可怜的样子。"她以一种不容置疑的语气说着。

"跟奶奶问好，"他跟莉娜和托尼嘟哝着，"以后奶奶跟我们一起生活。"

阿莫娜笑了。这样一个温柔又宽容的笑容使得莉娜很开心。这个笑容像是在说：没错，我在这里，和你们一起。这就是生活，生活就该是这样！

莉娜和托尼高兴地拥抱了阿莫娜。接着莉娜领她去看蒂图，阿莫娜一边抚摸着蒂图的头，一边说道："可怜啊……可怜啊……"

当她抱着蒂图的时候，她一下就感觉到了他的忧郁。小家伙在这个家并不受欢迎。

然而，自从拜访了威利舅舅之后，莉娜就开始为治愈蒂图的忧郁而努力。她把一只脚已经踏进死亡的蒂图给拉了回来。莉娜从来没有这么疯狂地斗争过，也从来没有想过自己竟然有这股力量！

莉娜开始和蒂图讲话。她不放过任何一个机会，她喂他吃的东西，他们听到的嘈杂声，莉娜都会给他讲叫什么名字。莉娜也会给蒂图讲那些她熟悉的故事，还有一些她自己编的故事。

她带他去森林。蒂图知道了鸟儿的歌唱：交嘴雀富有旋律的歌唱，鹡鸰尖锐的叫声。莉娜指给他看待在巢里的小松鼠，还有那两只坠入爱河的猫头鹰。她还让他看了那些他不能吃的红色浆果，她说："蒂图，你知道吗？这些是有毒的，可以杀了你哦。"

她还带蒂图去了河边，这条河流得很急，弯弯曲曲地在她家下面延伸着。她还告诉他在水面上捕食昆虫的白鹡鸰，那些为了捕到鱼而把头插进水里的潜水鸟，还告诉他，总有一天岸边的沙滩还有石头河滩都会被河水淹没。她甚至还将蒂图的脚尖浸入水里，这时蒂图会惊讶得讲不出话来，一边还朝着莉娜做鬼脸。莉娜总会哈哈大笑。每当她笑的时候，蒂图都试着学她。莉娜便教他怎么笑。哦，这是他第一次笑！终于有一天，蒂图学会了这种自喉咙发出的笑，腼腆地笑声如同小型发动机发出的嘶哑声。连蒂图自己也觉得惊讶。莉娜更是感动得哭了，她用力地抱紧弟弟。

妈妈的死就这么慢慢地过去了。

现在，蒂图仍然知道怎么笑，这种笑根深蒂固，再也不能随便被夺走。

阿莫娜刚来那会儿，蒂图开始恢复健康。虽然如此，他还不会牙牙学语，也不怎么笑。有时他会皱着眉头，一副担忧的样子。他可能是害怕再一次被抛弃吧！这很正常，他是个可怜的孩子！

阿莫娜看到了莉娜为让弟弟摆脱忧郁所做的努力，她被感染了，她也同样为之努力，她会经常抱蒂图，用巴斯克方言轻声哼着歌哄蒂图睡觉。蒂图他好像听得懂，慢慢地，他开始会盯着姐姐和阿莫娜看。他用圆溜溜的眼睛盯着她们看了很久。

过了一些日子，当莉娜亲吻蒂图的小脚时，他又笑了。这是阿莫娜第一次听见蒂图笑。她一边叹息，一边觉得开心。她走近莉娜，拉着莉娜的手，极其虔诚地说了三个字，这三个字让莉娜兴奋到颤抖，阿莫娜说：祝福你。

接着，莉娜发现自己总在期待这三个字——"祝福你"，躺在床上，莉娜又重复一遍。阿莫娜知道蒂图的悲伤，知道莉娜想要帮助蒂图摆脱这种悲伤的欲望，也知道因为儿子而使这个家笼罩着不幸。阿莫娜沉默冷静，事事都考虑周详，虽然她很少直接参与到这些事中，但她什么都知道。"祝福你"是她对莉娜说的。这三个字炽热得如同盛夏我们躺着的岩石，就像莉娜从窗口看到的星星，只为她一个人而闪耀。这也有点像那种情形，莉娜跟妈妈谈过心之后对妈妈说了声谢谢，因为妈妈总知道是什么将她的心关住了。

4

十个月大的时候,蒂图开始会走了。十四个月时,他到处跑,阿莫娜再也追不上他了。

"顽皮鬼,你在哪里?"阿莫娜喊着,"要不要来看看我的口袋里有什么东西,有糖哦……"

这时,蒂图便出现了,有时是从椅子下面爬出来,有时是从床底下。还有一次,他甚至躲在碗橱里。

阿莫娜担心她自己会发生什么事,特别是现在她呼吸越来越困难了。她也没法抱怨自己的身体,她咕哝着:"看这小家伙,活力十足呢!"

有天莉娜放学回来,发现阿莫娜非常激动,才知道蒂图这次真的不见了。两个人一起找了一段时间，最后在一堆木材后面的挡雨板下面找到了他。

阿莫娜倒在扶手椅上，手捂着心脏，呼吸短促。

莉娜教训了一下蒂图，她很清楚现在奶奶的身体状况已经没办法再带蒂图了。莉娜又一次去征求了威利舅舅的意见。这次威利舅舅建议他们去找胡梭姥姥。

九月份，蒂图就被带到这位乳母家，住了下来。

每天早上，莉娜都搭乘8点10分的汽车，在上课之前把蒂图带到胡梭奶奶家安顿好；放学了再去接他回来。

"蒂图，快过来穿衣服！"

莉娜听到从大厅里传来哥哥和爸爸的声音，他们正准备要去采石场工作。晚上，他们回来的时候，从头到脚，都会盖着一层薄薄的白色粉末。

门砰的一声关上了。他们已经走了。

阿莫娜准备好了早餐，给蒂图煮了黏糊糊的粥，给莉娜准备了一碗的巧克力面包片，还有欧洲越橘果酱。吃早餐的时候，莉娜给蒂图讲了一个故事。莉娜坐在高椅子上，看着蒂图眼睛睁得老大，这个时候不用狼来吓他,他自己已经吓得不行了。

"蒂图,你的耳朵在抖呢……"莉娜逗他。

"没、没抖……"

莉娜告诉他,每天早上她都去跑步,还有遇到艾凡的事情。

"它是巨兽,是……泰坦!"莉娜欢呼。

蒂图张开双臂,问"多大?"

莉娜爬上桌子,但她觉得还不够高。于是,她在桌上放了把椅子,爬了上去,张开双臂比划着,"就像这么,这么大!"

"啊……"

莉娜发现蒂图的小脸好像一下又变小了,她赶紧下来。蒂图因为害怕,觉得自己好像早就被杀死了。莉娜赶紧让蒂图靠着自己,小声对他说:"艾凡是一只巨兽,但是它很善良。它是一只温柔善良的巨兽。"

阿莫娜听到笑了。她想,这应该是莉娜自己编的故事吧。

这时,汽车的喇叭响了。莉娜把蒂图裹在毯子里,放在小推车里,抓上背包,对阿莫娜说:"再见,阿莫娜!"

"晚上见，毕罗巴。好好学习！"

在巴斯克语中，毕罗巴的意思是小女孩儿。莉娜喜欢阿莫娜的方言，它们就像是从耳朵里慢慢渗进心里的秘密。

这天早上开车的是玛丽·弗兰西，她有些胖，以至于胸口都抵着方向盘了。她看起来并不随和，总是很严肃的样子。但莉娜却从来没有搞错这些事：多少次她看见，玛丽避开莽撞过马路的行人，年幼的却又蛮横无礼的人，还有那些年老得跑不动的人。

"小朋友，今天早上过得还好吗，"她对莉娜说，"小丑八怪呢，他好不好？"

小丑八怪指的是蒂图。蒂图答道："不是，我才不是丑八怪，我叫蒂图！"

"小疯子？"玛丽逗他说。

"不是，不是小疯子……是蒂图……"小蒂图在那边极力强调。

玛丽扑哧一声笑了。

5

　　莉娜喜欢汽车上摇摇晃晃的感觉。她注视着躲在群山后面的太阳，她想日出总是那么准时。她不知不觉想到了艾凡：不知道它现在在做什么？毕竟，无论什么时候，一个人生活总是困难的。而她，有弟弟蒂图，奶奶阿莫娜，最好的朋友芬妮，还可以勉强算上托尼；她可以在家吃晚饭，尽管那个家与她理想中的样子差太远，但有总比没有好。如果她发生了点什么，他们会陪在她身边，照顾她。但是艾凡呢，如果它病了，谁来照顾它？

　　这时车停了下来，另外一些小孩上车了。其中也包括她的同班同学西蒙。半个月前,他做了一个有关熊的报告,资料十分充足。

"早上好,莉娜。过得怎么样?"西蒙问。

"很好,你呢?"

"也还好。你好,蒂图!"

小家伙笑了,他把拇指放进嘴里,也是一副享受颠簸的样子。

莉娜心中有个问题,这个问题急切得好像就快脱口而出了。

"你的报告很精彩,"莉娜开始说道,"你怎么知道那么多有关熊的事?"

"我爸爸为一个保护熊的组织工作,因此,他知道很多关于熊的事。"

"啊,我明白了。你爸爸曾经看过熊吗?"

"嗯,我也看过一次。"

这时西蒙的眼神在山上停留了一会儿。

接着他说:"我保证,只要你看过一次,就再也无法忘记。你就想再看它一次。"

西蒙的这些话深深触动了莉娜,她就是这么觉得的。

"对，这就像是一种巫术。"她说着，此时她的眼神停留在那个山顶上。

西蒙感到很惊讶，"就是这样，你怎么会知道？你也看过吗？"

莉娜脸红了。她并不想让别人知道她的小秘密。

"这只是我的想象，"她答道，"你呢？有再看到那只熊吗？"

"没有。但是我爸爸看到了。是只母熊。可怜的熊，一年多以前被猎杀了。也就是那个时候我爸爸进了社团。他对那些猎人憎恶至极。那只熊叫米什卡，你有印象吗？"

"啊，有。那确确实实是一桩谋杀案。"

那些猎人尾随着母熊，朝它的臀部打了几枪。它跑不了，也动不了。接着他们在它两眼中间打了一枪。

"爸爸说它生了一只小熊，但是从来没有人见过。"

"为什么他会这么想？"

"开春那会，也就是冬眠结束的时候，母熊都会带小熊从巢穴里出来。所以，这其实很正常。"

"小熊是公的吗？"

"恩，但它没有待很久。接着我们在西班牙发现了它。"

"这个我倒不知道。西蒙你说，没有了母熊那只小熊还可以生存下去吗？"

"不大可能。"

"如果它活下去了，现在该有多大了？"莉娜问道。

"那时小熊已经能够出巢穴了，应该至少四个月大了。"

莉娜默默想道：四个月，而米什卡是在一年半前被猎杀的，那么艾凡现在应该快两岁了！她认为艾凡可能是米什卡的生的那只小熊。

那个时候它应该还很小，就是一个小毛球。熊妈妈被杀害的时候，它应该就躲在矮树丛中，目睹了这一切。随后，它成功逃离了危险，保卫了自己的领地。

莉娜又开心起来，惊讶道：艾凡是一个真正的英雄！这个名字真是再适合它不过了……

"你在想什么？"西蒙轻轻用手肘捅了捅莉娜，问道。

"如果它还活着，应该会觉得孤单吧……"

"熊不像人，它们是注定要独自生活的。"

"甚至在它们年幼的时候也是？"

"如果它们有志气，就会离开家去搏一搏，不然它们最后只会饿死。有时，比较弱小的熊崽都会被一些野狗吃掉。"

"这太恐怖了……"

"你从什么时候起对熊这么感兴趣了？"

西蒙的问题就像是一把锋利的剑，直接刺入莉娜的心里。莉娜针锋相对答道："自从听了你的报告以后。"

车停了下来。

"我们到……到了！"蒂图尖声说道，他很开心可以再看到姥姥。

"爱开玩笑的小朋友，去工作咯！"玛丽用洪亮的声音叫道。

"晚上见。"莉娜对她说，一边跳下车。

"好的，小心过马路……"

莉娜笑了，其实这里她再熟悉不过了。玛丽总是那么小心。她跟平时一样，帮忙把蒂图的推车从车上搬下来。

胡梭姥姥的房子就在马路的另一边，离威利舅舅的锯木厂并不远。姥姥房子前面有个小花园，还有一条小径。

"我的小乖乖们，你们来啦……"她拥抱了他们，"赶紧进来，天又开始变冷了。"

也许是因为喝香槟的关系，姥姥有双明亮的眼睛。每个星期天，她都让莉娜给她带一小杯香槟过来。

"这是些能使生活充满活力的气泡！"姥姥大声说道。

莉娜从来没有见过姥姥悲伤的样子。那些气泡果然有效。

房子后面有个小院子，姥姥种满了各种植物，装在小坛子里，到处都是。有天莉娜数了数，共有四十三个！每个坛子里还插着用拉丁文写的标签：有些植物是助消化的，有些是促进循环的，有些是解除疲劳的，还有些是促进伤口愈合的。还有一些香草是用来做沙拉的。

"小家伙，还好吗？你看起来很健康。"

"恩，很好。我对自己说，今天会是美好的一天！"

"哎……你碰到什么事了吗？"

莉娜扑哧一声笑了，"姥姥，可能是因为我今天早上喝了一小杯香槟……"

这时，轮到姥姥大笑了，"小家伙，好好享受。你要点面包吗？给你……"

"谢谢姥姥。晚上见，蒂图。晚上见，姥姥！"

一碰到地毯，蒂图就不亦乐乎地玩起他的车和车库来了。他甚至都没有看到姐姐已经走了。

6

芬妮在学校的栅栏边等着莉娜。芬妮是一个爱说笑的人，长得高大魁梧，活力十足。

"我有件事要告诉你，"一看到莉娜她就脱口而出，"等会儿去老地方？"

她们两个刚上初一，就在学校里出名了。第一天，芬妮主动与莉娜攀谈："刚开始，这总是有点困难。"

莉娜不解地看着她。刚开始？她指的是什么？

"我也一直是一个人，"芬妮接着说，"但现在我有很多朋友。我也可以选择谁做我的朋友！"

芬妮选择跟她成为朋友。

妈妈死后，芬妮帮她把作业带回家里，每天带着她去河边野餐，在她潸然泪下的时候抱着她。芬妮一直默默地在她身边，一次又一次地给她勇气。

　　有一天，芬妮把蒂图从摇篮里抱出来，紧紧地抱着他。

　　"他好可爱呀？！？"芬妮感叹道。

　　蒂图没有反应，莉娜也是。芬妮重新把他放回床上，一句话也没说，一个问题也没问。蒂图确实是很可爱，但是此时的莉娜不在乎这个。芬妮能感觉得到，莉娜也确定她知道。然而，芬妮没有追问。

　　这是一年前的事了。现在那个老地方是给她们倾诉秘密用的。

　　芬妮很不耐烦地拉走了莉娜。这时莉娜开口了："芬妮，我也有个秘密要跟你说，你能发誓帮我保守秘密吗？"

　　"什么事情？很严重吗？你这样让我感到害怕……"

　　"听着，我有一个朋友，非常稀罕的朋友。从来没有人有过这样的朋友。"

"朋友？你喜欢上哪个男生了？他是谁？"

莉娜哈哈大笑。

"不是这样的。芬妮，如果你知道的话……"

莉娜的眼睛里充满兴奋。

"好啦，快告诉我！"芬妮等不及了，"这个朋友，他是谁？"

莉娜凑近她的耳朵，轻声地说："艾凡……我管它叫艾凡。"

"艾凡？我不认识！你在哪里认识他的？"

"森林里……"莉娜用一种神秘的语气轻轻地说道。

芬妮感到困惑："但是……他是哪儿的？你哥哥的朋友？"

莉娜慢慢地摇着头，"不是。艾凡除了我没有别的朋友。它甚至都不知道什么是朋友。"

"莉娜，快，告诉我，"芬妮急了，"这个艾凡他到底是谁？"

莉娜欠过身，对芬妮说："它是一只熊。如果你看到它的话，你也会觉得它漂亮极了……"

"一只熊？"芬妮大叫，"你是想告诉我说，你看到了一只熊？"

"恩，两次。我在同一个地方看过它两次。这几乎可以算是一种约定了。"

莉娜脸上有种陶醉的笑容。芬妮突地站起来，说："我希望你是在开玩笑。熊是你的朋友？这究竟是怎样的一个故事？"

莉娜娓娓道来……

芬妮睁大了眼睛，整个人都惊呆了。莉娜讲故事的时候，芬妮的表情也跟着故事情节而不断变化。现在，她处于一种惊愕的状态："莉娜，这不可能。你不应该再去那个地方了。熊很危险的。它们……它们是野生动物！可能会吃了你！而且也曾经发生过这类事件。你真是完完全全疯了！"

"艾凡不像其他的熊，"莉娜辩解道，"我知道，我感觉得到。"

这时，钟声响了。两个人往教学楼走去。

"你呢，你想对我说什么？"

芬妮重新有了笑容，一脸的狡黠："我妈给我买了一件内衣。我今天穿上了，你看得出来吗？"

莉娜仔细地看了看芬妮的胸脯,然后说:"一点点。"

"好吧!"芬妮低声说。她们俩一进教室,就有男生注视着她们。"你看到了吧,你也赶紧去买个来穿。"

"那个东西会使胸部长得快点?"

"不是这样。就好像有些女生的胸脯会一夜之间长大。她们早上醒来的时候,就……就发现自己有了胸部。"

"拉波德小姐,等你谈完了,我们才开始上课,可以吧?"

历史老师用粉笔轻轻敲着办公桌。他神情严肃,眼镜落在鼻尖。如果他知道了她们的谈话内容……莉娜跟芬妮低着头,扑哧一声笑了出来。

放学后,莉娜去了胡梭姥姥家。在她搭乘汽车回家之前,姥姥总是会给她备些点心。

"我弟弟很聪明吧?"莉娜问道,一边还往嘴里塞着涂满巧克力的面包片。

"他在地毯上尿尿,还打碎了我的花盆,他说了好多次不,拽我的头发,还踢了桌子一脚,但他还是一个漂亮的小家伙!"

莉娜哈哈大笑。

"好吧……"

蒂图在旁边听着她们谈论自己。

"不是的!"他喊道。

"什么不是?小无赖!"

回家是最困难的了,每次莉娜和蒂图在姥姥家时,
她就不忍心再离开。她感到自己好像行动迟钝了。有
时,他们会过夜;如果要过夜的话,莉娜会在早上提前
知会爸爸一声。待着过夜的话,姥姥会给她在餐厅里
放上床垫,就睡在电视机前,蒂图的小床就挨在旁边。

但是明天……她跟艾凡有个约定。一想到艾凡,
莉娜浑身就充满了力量,她倏地站了起来:"小丑八怪,
我们走吧!"她跟玛丽一样叫蒂图小丑八怪,就只是为
了听到弟弟的抗议,这样她也觉得开心。

"不是,我不是小丑八怪。我是蒂图!"

莉娜抱着蒂图,跟姥姥说:"姥姥,星期四见!"

"小乖乖们,星期四见!"

因为星期三早晨是奶奶带蒂图。

在往车站的方向走时，莉娜碰见了那个儿童社会福利员。每次看到她的时候，莉娜都会觉得心跳加速。

"你好啊，莉娜。你好啊，蒂图！"

玛丽昂面无表情地看着蒂图。这是她的工作。莉娜不会忘记她去妇幼保护厅的情景。蒂图现在过得并不是很好，他才刚刚开始重生。莉娜显得有些惊慌失措。

在去妇幼保护厅之前，她上网查了下资料，她在搜索栏里敲了几个字：儿童福利员。看到那些内容，她一下呆住了：在两种情况下，政府不会让这个家庭养小孩，并且会将小孩带到儿童之家。第一种情况：该小孩是一个孤儿，没有爸爸或者没有妈妈，或者两者都没有；第二种情况：该小孩在家遭到虐待。

"孤儿"这个词被打上了一个星号，在页面下边有一行解释：如果一个小孩是没有爸爸或没有妈妈的孤儿，活着的另一方应同时负起保证孩子生理和心理完全健康的责任。

莉娜自己衡量了一下，得出结论：爸爸喝酒，奶奶身体不好，而她自己未成年，他们都没办法好好照顾蒂图。这也完全符合上述两个条件，蒂图很有可能被妇幼保护厅的人带走。

"你还好吗，莉娜？"玛丽昂问道。

"还好。"

"学习呢？"

"也还好。"

实际上，学习方面有挺多的困难的。因为缺课，莉娜目前的成绩不好。在莉娜心里，她已经对学习完全失去兴趣了。

"你呢，蒂图，过得好吗？"

玛丽昂挠着蒂图的下巴，莉娜本能地让蒂图远离了她。虽然此时离车站只有一步之遥，莉娜还是想走了。

在车上，莉娜回想起刚刚发生的一切。她想玛丽昂肯定看出来我不信任她了，她应该很快就会知道我对她隐瞒了一些事。希望她不要插手我们的家事。这对她一点好处都没有！

这一次，莉娜同意爸爸的看法。

7

车在那条通往山谷的小道前面停了下来。走路到家需要3分钟。在屋檐下，莉娜脱掉了自己和蒂图的长靴，爸爸和托尼还没有回来。如果他们不去逛村里的杂货店，过一个小时应该就回来了。

"奶奶，我回来了！"

"毕罗巴，日艾托里！"

这在巴斯克语中表示欢迎。

"学校方面，都还好吗？"

"很好！"

然而有一天，莉娜回答了句"唉"。奶奶就给她上了一课，跟她说上学的重要性。"之后，她有份自己喜欢的工作，我们也很满意她的工作，然后她嫁给了一个跟她一样热爱这份工作的男人。每天晚上回到家的时候，他们都很享受一天的日子。当他们觉得幸福的时候，也就不那么疲倦了。他们一起照顾小孩，和小孩一起玩，他们可以忍受那些叫声、噪声，总之，这就是他们的幸福。"

"阿莫娜，你做的是什么工作呢？"莉娜突然问她。

"我没有工作。我上学的时间不够长。"

"那你的丈夫呢，他是做什么的？"

"跟你爸爸一样，是个采石匠。"

阿莫娜叹息道："这是一份很辛苦的工作。我不希望任何人去从事这个职业。"

"爸爸学习不好吗？"

"他需要帮助……他可以是个好学生的，但是他经常到处跑。跟你一样。"

阿莫娜的眼睛突然暗淡了。

"莉娜，你有明天要上的课文吗？"

"有。"

莉娜把课本摊开放在膝盖上，阿莫娜喜欢这个时刻。有时候她会央求莉娜说："给我复述一遍。"

她很好奇，这一切她都感兴趣。当莉娜复述课文的时候，阿莫娜不用看着课文，只是听莉娜讲。她跟着读，就像她自己说的，"课文的音乐"。如果莉娜念错了一个词，或者犹豫了，奶奶就摇摇头："重新开始，你并不懂。"

大部分时间，她都想知道更多。为了满足她的好奇心，莉娜必须要看课本，复习之前学过的功课。有时甚至要上网查资料。她打印了一些课文，然后念给阿莫娜听。当阿莫娜觉得心满意足了，她会闭上眼睛。莉娜觉得奶奶以她自己的方式在学习，她自己复述课文也只是为了好玩：地震的原因是深层岩石的断裂，这种变化以波的形式传播着……

"谁相信上帝是活着的？"每次她看到火都会自己小声嘀咕。

蒂图在吃面包，吃饱了就躺在床上。莉娜给他开了音响，放摇篮曲。每次她都要重复放两三遍蒂图才会闭上眼睛。

门哐当一声开了。爸爸和托尼回来了。一样宽的肩膀，一样的身材，一样严峻的眼神。自从妈妈死后，他们都彻底变了一个人。他们的悲伤演变成愤怒，而这种愤怒始终存在着。

餐桌上，没有人讲话。哪怕是一句。

以前，爸爸从采石场回来时，莉娜总是去蹭他的怀抱。他会把莉娜举起来，高过头顶，说："我的太阳，给我看看你的光芒！"

有天晚上，他开了音乐，和妈妈跳起舞来。他抱起莉娜，在华尔兹的音乐下，让莉娜旋转。她转啊转，转啊转，最后冒失地跌到爸爸怀里。爸爸抵着莉娜因为出汗而湿湿的头发，低声说："小莉娜是公主，跳舞的时候就像是一个公主。"

以前，爸爸的口袋里总是藏有各种各样的惊喜，闪闪发光的石头、心形石头，或者一些动物造型石头。莉娜收集了一整个系列的石头。后来，那些石头陆陆续续被她丢失了。有些被她放在洗衣机旁边的地方，有些从口袋里滑出。那个时候的她长发披肩，像个女生。

有块细小的石头在灯下闪闪发光，就像金子一样。莉娜将它放在枕头底下。睡觉的时候，她把石头握在手里，直到石头又热了，然后才渐渐地睡着。

8

"明天要下雪了。"爸爸说道。

托尼掰了四块面包,给了莉娜一块,她就坐在旁边。

"应该是要清理采石场了。"爸爸嘟哝着。

爸爸向窗外望了一眼,那边都是黑漆漆的山。

"那边高的地方好像有一只熊……"

莉娜手里的汤匙一下掉了。

"谁告诉你的?"

"拉惠雅老爹。他也在杂货店。"

"他怎么会知道? 他看到了?"

"他发现了一些脚印。"

"你可以相信我了吧，"托尼喊道，"拉惠雅老爹等不到春天了，在还没有遭受损失之前，他会鼓励那些牧羊人赶紧行动。就跟上次一样。"

去年的5月到9月，有三只母羊死了，被猛兽撕裂了。另外的十只，因为害怕而掉到冲沟里了。牧羊人和拉惠雅老爹团结起来，组织了一次猎杀。但那次，他们没有找到罪魁祸首。那些熊就像是人间蒸发了一样，接着就再也没有人提起了。

"如果真的有熊的话，拉惠雅老爹肯定还会跟上次一样，在冬天来到之前逮住它。他有跟你说什么吗？"

"他希望我们可以团结起来，有情况就跟他说。"

"也有可能是一些野狗杀死了那些母羊，"莉娜开了口，"谁能证明是熊做的？"

"因为那些爪子。"爸爸答道。

托尼将碟子里的汁用面包揩得干干净净。莉娜觉得他好像有什么心事。她想，这是自闭的一种方式：他垂下眼睛，紧抿着嘴唇，肩膀向前，好像他正在面对一阵狂风。

"我们应该帮助他，"爸爸说，"托尼，你认为呢？"

托尼慢慢地,眼睛盯着爸爸:"我不喜欢这个人。我尤其不喜欢上次发生的事。"

"那是一个意外……"

"意外?"托尼重复了一遍,"不要告诉我说你相信!"

托尼将餐巾扔在桌上:"你还记得吗?那只熊身上都是子弹,屁股一颗,背部一颗。他顺着血迹跟踪它,你说这叫意外?我说这是谋杀,这个人太残忍了。"

"他不过是一个猎人。"

"一个下手又快又狠的猎人。我不会跟他一起去围捕熊的。为什么要去?冬天就快到了,它们就快进行冬眠了。我们会有一段安静的日子过了。"

莉娜此刻很想扑上去搂住哥哥。

"拉惠雅不知道是母熊还是公熊,"爸爸答道,"如果是母熊,春天到了可能会多一两只小熊,他不想冒这个险。撇开小熊不算,母熊也是很危险的。"

"这样最好!因为这又丢给了他一个像上次一样的难题?"

莉娜很担心,那些猎人要找到艾凡然后杀了它。她必须要阻止他们。她不知道该怎么做,但是她不会让她的朋友被杀掉的。不能是它，不能是艾凡……她感到眼泪刺痛了她的双眼。但，如果她想保护艾凡的话，她会有战斗的力量，会勇敢地往前的。接着她会努力反抗，努力去救它。哭并不能解决问题。莉娜的喉咙哽咽了，机械地把汤匙放回碟子里。

"毕罗巴，你不吃了吗？"奶奶问她。

"我不是很饿。我累了。"

托尼把手放在莉娜前额，接着说道："你没发烧呀。怎么这样了！"

"我要去睡觉了，"莉娜说，"晚安。"

"晚安，毕罗巴。"

"晚安。"爸爸嘟哝，头快抵着盘子了。

莉娜打开房门时，爸爸提醒他："这段时间不要去森林里了。那里有熊，很危险。"

"爸爸说的有道理，"托尼补充道，"这是一群你根本就不知道它们会干吗的牲畜。它可能没有理由地就袭击人，特别是像你这么漂亮的女孩子！"他接着说，眼睛还眨了一下。

莉娜躺在床上。没有理由地袭击人？她不这么认为。不管怎样，艾凡不是这样的。它那么温柔，那么特别……莉娜也理不清自己接近它的那种感觉，艾凡深深地感动了她。

莉娜从枕头底下找到了那块石头，紧紧地握在手里。

她闭上了眼睛，因为蒂图轻轻的呼吸声得到了安慰。

9

天刚刚亮，那些轻柔的雪花开始漫天飞舞。地上有了一层薄薄的雪。

莉娜穿上鞋和羽绒服，戴上贝雷帽，跨过窗户边。为了让蒂图不着凉，莉娜用窗帘紧紧封住窗户。

随后，莉娜奔向那座山。她想要见到艾凡。

山路崎岖，但她已经习惯了。她跳过那些溪流，越过那些枯萎的树干。很快她看到了那片有许多红色浆果的树丛，松鼠窝，还有那一对猫头鹰。最后，到了那棵树，前晚她蹲在树后面，在稍微远点的另一棵树那边，艾凡靠着塌抓痒。但现在它不在这里！它是不是已经藏在洞穴里准备冬眠了？莉娜一边想着，一边在周围寻找着。它昨晚有没有留下一些东西？莉娜观察着树枝和树丛，哪怕是微微的颤动……

接着她听到背后一阵树枝断裂的喀拉声。莉娜转过头，它在那里，离她两三米的地方，站着，爪子藏在背后，它真是一只巨兽！

突然，它张开嘴巴，发出一声叫喊，威力如此巨大，以至于它庞大的身躯都在震动。莉娜垂下头，就像一个坏掉的钟，心跳得很快。她感受到了它的温度，它的呼吸。如果它能明白……

她只有一个愿望：成为它的朋友。它就在这里，她读懂了它。动物感觉到了这些东西。莉娜一动不动，只是为了让它不感到她的害怕。对于动物来说，人的害怕会让它们变得有攻击性。莉娜深呼吸。周围出奇的静。森林里的动物都缄默了，连鸟儿也不唱歌了。

雪花还在空中打转，轻轻地停留在树枝上，过了一会儿，啪啦一声，雪花掉在了地上。

周围笼罩着猛兽的味道，莉娜闭上了眼睛。漫长的等待。它做了什么决定？如果她会死在熊的爪子底下，那么莉娜宁愿什么也没有看见。这样也会更快点儿！

一声叫声传来，接着稍远的地方又传来一声……

莉娜睁开眼睛。熊已经离开了，消失在树丛里了。

在清醒之前，莉娜陶醉了一会儿。她有些头晕，仿佛她脚下的土地都在动。那些画面在她脑海中穿梭。如果它愿意的话，完全可以杀了她的。但是它没有，它知道她并不是它的敌人，它接受了她。从此之后，他们之间有了一种联系。一个微笑使莉娜振作起来。在一阵恐怖之后，一个紧张的微笑。

"艾凡，再见……我还会再来的。现在你认识我了，你已经感受到了我的味道，你不会再忘记了，对不对？熊是可以记得味道的。"她喃喃自语。

莉娜又高兴起来。在二十米远的地方，她看到树丛中有一堆褐色的东西；树枝晃了晃……

"听着，艾凡。我以前经常跟妈妈一起来这里，也许你之前就已经见过我了！"

她想，如果妈妈在这里，她会说：熊允许你进入它家了吗？我的小加洛特，这是熊的家。你也知道的是不是？我们不应该在没有得到邀请的情况下闯入别人的家。

莉娜装作在敲门的样子："咚，咚，咚……艾凡先生，我可以进来吗？我很想成为你的朋友。"

莉娜给它做了一个示范。

"艾凡，再见！"

在回家的途中，她捡了一根蕨树枝，擦掉了艾凡和自己的脚印，这些在雪地上实在太明显了。

下山的时候，她唱了一首家乡的老歌，是威利舅舅教她唱的：

　　　朋友们，山峰壮丽！

　　　让我们远离城市的喧嚣。

　　　为了庆祝逃离，

　　　让我们快活地奔跑。

　　　我们的世界是自由的？！

　　　背着书包，握着黑桃牌，

　　　加快脚步……

　　　加快脚步！

10

　　在离家不远的地方，莉娜就看到了威利舅舅的小卡车。心里隐隐约约有种担心，莉娜加快了脚步。没什么大事的话，威利舅舅不会这么早就来了。

　　她推开房间的窗户，蒂图已经醒了。他站在床上，双臂张开，欢迎她。

　　莉娜脱掉了羽绒服，抱着弟弟，走进大厅。

　　"啊，莉娜你在啊，"威利舅舅说道，"我有个坏消息，胡梭姥姥从楼梯上摔下来，摔断了股骨颈。刚刚救护车载她去了医院。"

　　"股骨颈？什么地方？很严重吗？"

"股骨，就是大腿上部的地方，接近胯部了。所以，很严重。"

"可怜的姥姥！"

莉娜无法想象姥姥在医院里，没有她的小花园，没有香槟酒……

"不算上肢体训练的时间，最少也要住院三个礼拜。"威利舅舅接着说道。

"什么时候发生的事？"

"刚刚。她打电话给我。还好她爬到了电话旁边，我们应该庆幸这件事没有发生在她照看蒂图的时候。"

莉娜脑海里浮出一个画面，姥姥躺在地上，她让蒂图把电话拿过来，但蒂图听不懂，他饿了，哭了，跟着就自己开了门，跑出去了……

"那明天谁来照顾蒂图，接下来的日子呢？"

"明天和星期五都由我来照顾他。在这期间，我们要找到合适的人带他，恐怕这不太容易。"

莉娜要找到一个她信任的人照看蒂图一到两个月，直到姥姥痊愈了，可以再带蒂图。

"姥姥在哪间医院？"

"离这里大概有三十公里,在贝尔谢。收拾好东西,我载你去上课。小淘气,你呢,好不好?"

他将蒂图放在肩上。

"我……我是计人。"蒂图快乐地答道。

"是啊,现在你是巨人!"

"就像艾凡一样!"

"艾凡?他是谁?"威利舅舅问莉娜。

"艾凡,他是计人!"蒂图大喊。

"好,好,好。"威利舅舅表示赞同。

"嘘……"莉娜把手指放在自己的嘴上。

"唏……"蒂图学着姐姐的动作,重复说道。

到了学校,莉娜告诉了芬妮这个坏消息。

"你打算怎么办?"芬妮问。

"要找个人照看蒂图两个月。"

"你爸爸呢?他怎么说?"

"他还不知道。他跟托尼一起出去了。但是……毕竟……"

莉娜没说下去。她不敢告诉芬妮爸爸是那么地不在乎蒂图,还有托尼,还有其他人。

"你能不能先问问你妈妈？"

芬妮的妈妈开了间杂货铺。她认识很多人。

"当然可以,"芬妮说,"我回去跟她说。"

"让她在村里找个人。"

"知道了,你不用担心。那在这期间,谁照顾他？"

"威利舅舅。"

芬妮环抱着莉娜,轻轻地晃了下："不要担心了。蒂图太可爱了,说不定有人花钱,让我们同意他去照顾呢！"

11

　　放学了，一小群人在操场上热烈地讨论着。其中包括西蒙和拉惠雅老爹的儿子汤姆。芬妮觉得好奇，走近了他们，莉娜也跟了过去。

　　"它好像长得特别大！"

　　"它从哪里来？"

　　"斯洛文尼亚。"

　　"是公的还是母的？"

　　"不知道。"

　　一个扎着辫子的女孩，虽然有着美丽的胸脯，却还是一副小女孩的样子，她问道："我们怎样才能看到它？"

"怎样看到它？"托尼重复了一遍，"那我怎么才知道你是一个女生？你的胸部是偶然才有的吗？"

在场的人都哈哈大笑。那个女孩红着脸跑开了。

"斯洛文尼亚很远呢！那只熊是怎么到我们这的？"

"不是的，它在这里出生，"西蒙说，"是人们把它的妈妈从那里带到这里的。"

"你的意思是有人捕杀它们？"

"对。比利牛斯地区并没有熊。猎人杀了它们，接着因为……"

"不管他们是不是猎人，"汤姆说道，"但熊是一种理想的战利品，值得玩一玩。"

"离开了故乡，它应该会悲伤吧……"一个来自西班牙的男生说道。

"熊会适应的，"西蒙说道，在这个话题上他总是滔滔不绝，"它们喜欢转变阵地。他们需要很多的空间。相反地，如果你将它们关进动物园，就像大多数的动物一样，它们会感到绝望。而对于熊来说，这种绝望会加剧。一天熊可以跑上上百公里，它们是探险者。"

"额……现在不是在森林晃荡的时候。"

"熊是会害怕的,"西蒙接着说,"如果它们闻到了人类的味道,就再也不会露面了。"

"你们还记得一年多以前那只被杀死的熊吗?"汤姆问道,"她叫米什卡。人们轻轻松松就制服它了。嘣!两眼中间中了一颗子弹!"

莉娜心里有种怒气:多么可恶的人啊!就像他爸爸一样。这个笨蛋骄傲地向全世界的人炫耀他家客厅有一个熊的头颅,每天晚上回家的时候,他都跟它打招呼。

"错了,"莉娜辩驳道,"杀死它其实花了很多时间,它的臀部中了很多颗子弹,所以它跑不了。就是你那个残忍的老爸开的枪。接着另外的人杀了它,因为它已经奄奄一息了。"

"你说什么? 你那个醉鬼老爸,你觉得他能好到哪里去? 他和你的哥哥每天晚上都被打。是啊,你的家庭多么和睦,多么好! 笑话。哈哈哈!"

莉娜心里被重重地一击。全村的人都知道了。她握紧拳头,反驳道:"我告诉你,法律规定禁止捕杀熊。"

"这个情况有点尴尬啊……很快这只来自斯洛文尼亚的熊的头颅便会和比利牛斯的那些熊一样,摆在我家客厅。"那个蠢货怒了。

这次，没有人笑了。所有人的眼光齐刷刷转向西蒙，这时他已经无法保持冷静了："熊是稀有动物，现在濒临灭绝。将它的头颅放在客厅当摆设，这就像你想加入篮球队一样荒谬！"

人群中时不时传来冷笑，细细碎碎的。最好不要把汤姆当成敌人，他长得矮小，但是他很暴力。既暴力又阴险。

而芬妮此时的笑声像是给了他一记耳光。然而，她长得过于高大了，汤姆也根本袭击不了她。他又不是疯了，芬妮只要弹一弹手指就可以把他撵走了。他转向莉娜，此时莉娜的脸上挂着一个嘲弄的笑容。

"你有病吗？"他带着挑衅的语气问。

她耸了耸肩，反驳他："你已经笨到会把鸽认成是松鼠！把牛粪当成巧克力馅饼吃了！"

孩子们捧腹大笑。在这之后，她、芬妮、西蒙三个人一起走了。

莉娜想，真是老把戏。芬妮提醒她："你做了一件蠢事。那个汤姆，他是个无赖。"

12

中午,玛丽昂·阿里艾蒂在学校大门口等着莉娜。

"我陪你走一段,不打扰你吧?"

不,打扰到了。因为莉娜知道玛丽昂为什么在这里。

"胡梭姥姥的事,我都听说了。"

因此你就在这里了……

"姥姥她不能再照看蒂图了。"

莉娜不解,"为什么? 两个月后,她就会痊愈了!"

"她已经过了带孩子的年纪了。她应该退休了。"

莉娜慌了,说道:"不,不……她不会愿意的,她告诉过我的! "

"她没得选择。胡梭姥姥年纪太大了，在此之前，我们都可以睁一只眼，闭一只眼，因为她做得很好，再者她的身体也很健康，但是现在……这再也无法想象了。"

莉娜思索了一会儿，她想应该找个人来照看蒂图两年，在这之后，蒂图就可以上学了。

"莉娜……"

哦，她多么不喜欢这样的语气。太……太过谨慎了。阿里艾蒂小姐会穿着她的木底鞋在上了蜡的镶木地板上行走，因为在这个儿童福利员她害怕滑倒！她还在寻思着跟她说些什么？即使这些话有可能使她不开心。

莉娜多希望自己能够把她撵走！然而，她应该表现得理智、负责，就像父母一样。但是这种语气并没有带来什么好事。

"莉娜，"玛丽昂接着说道，"我和你的老师谈过了。你的成绩不是很好，你需要面对的是早晚都要照顾弟弟，这对于像你这个年龄的孩子未免有些负担过重……你没有时间可以学习！他们告诉我你有时候甚至在课堂上睡着了！"

然后呢,是胡梭姥姥太老了,她自己又太年幼!她确实是有点累,但这都是正常的:她要早起去看艾凡。这跟蒂图一点儿关系都没有!

"我感冒了。"

玛丽昂没有回答。她并不傻。

"我会在村里找个人照顾蒂图,"莉娜接着说道,努力掩饰她的窘迫,"而我已经开始找了。"

"你应该知道我也打听了一番,我终于找到了一个地方,但不是在这个村里。"

莉娜开始发抖,"在哪里?"

"离这里有好几公里……"

"谁带他去?谁去接他?"

"你上课的时候他就在那睡。"

"你的意思是……在某某的家里,福利之家?"莉娜一字一句地说道。

"他周末会回来的!"

这个儿童福利员试图让她相信蒂图会在另外一个家生活得开心。在陌生人的家里!而这对她来说是一件好事!她没有征求莉娜爸爸抑或哥哥的意见!他们都会同意的！她还在妄想什么？莉娜会同意别人带走她的弟弟？带走了蒂图,便连莉娜的心也一块带走了!

这就是为什么她会用这种语气说话的原因！她是来告知莉娜这个绝佳的主意：将蒂图安置在一个福利之家！这个女人真是疯了！莉娜大大地吸了一口气。

像蒂图这个年龄的孩子,他们总是忘记得很快,他会忘记莉娜。当她去接他的时候,他不再会认得她。更糟的是,他会开始哭闹,会宁愿待在那个新家。他会叫那个照顾他的女人妈妈,在他闹得凶时,谁会三番四次地放音乐给他听？谁给他讲故事,谁会看着他抖动的耳朵？

谁会为了逗他玩,看他闪闪发光的眼睛,张开双臂,跟他说"长大是什么样子"？

莉娜仿佛被撞击一样,心里夹杂着愤怒和悲伤。"永远都不会!"她用嘶哑的声音说道,"你听到了嘛,永远!"

接着,她用一种绝望的声音说道:"一定会有别的办法的。给我一些时间。我想我舅舅会有主意的……"

玛丽昂·阿里艾蒂轻轻地低下头,思索着。周围一片死寂。接着她说道："恐怕没有别的办法了。我们应该在诸圣瞻礼节假期结束之前做决定。可以吗？考虑一下吧！"

经过几秒钟的犹豫之后，她说："这是唯一的办法了。你跟我一样明白。"

莉娜突然觉得很孤单，一点儿力气都没有。她没有说再见，径直跑向了车站。

13

下午趁着蒂图午睡的时候，莉娜去了趟森林。

"莉娜你要去哪里？"奶奶问道，"你爸爸跟你说过，山上很危险。"

她的爸爸？他是谁，他竟然可以教训她了？他不让莉娜去那个她觉得幸福的地方？她觉得讽刺。

"奶奶，不用担心，我就只在我们家周围转转。"

她绕着房子巡视了一遍。那个通向地窖的楼梯正对着的后门，从来不关的！她溜了进去，找了一罐蜂蜜。地窖里面还储存着一些粮食，这些粮食在交通被阻断的时候足够用上几个月的。

莉娜把蜂蜜紧紧地夹在腋下，她就这么跑出去了。昨夜下的雪在她脚下发出"嘎吱、嘎吱"的声音。小时候，她很喜欢这种声音。那时，她经常和妈妈玩游戏，她们必须在嘈杂声中辨别方向。莉娜很擅长玩这个游戏。几乎每次都赢。妈妈每次都会赞叹道："我的小加洛特真是一只听觉灵敏的小老鼠。没有一只猫可以追得上你呢！"

莉娜停了下来。在她前面，有一些脚印。谁来过这附近？她的心砰砰地乱跳。难道是猎人？汤姆·拉惠雅？这些脚印的方向跟她的一模一样。她很快地走入岔道，躲在一棵树后面。

"嘿，你在这里做什么？"她背后传来声音。

西蒙！他跟她一样吃惊。他背着一个小背包，手里拿着一副双筒望远镜。

"你在这里……做、做什么？"莉娜问道。

"那你呢？"

"我家就在旁边。所以我经常来这里！"

"我跟我爸爸来的。可以说他是来这里做调查的，他注意到了这些脚印。他想要知道有关熊的故事。"

"他在哪里？"

西蒙叫了两声。很快，一个清瘦的男人出现了，留有黑色的小胡子，穿着牛仔裤跟篮球鞋。"儿子，怎么了？啊，一个拜访者？"

"这是莉娜，我的同班同学。"

"你好，莉娜，你自己一个人吗？"

"嗯。"

"通常这个时候，尽量不要来森林晃悠。"

但莉娜反驳了，"我很熟悉这个森林。在这里，我什么都不怕。"

西蒙的父亲静静地看着她，莉娜笨拙地把那一小罐蜂蜜藏到身后。

"好吧。西蒙，我还要继续记录，你好好待在角落里。"

西蒙的父亲走了，西蒙问莉娜："你偷偷藏了什么？"

很快，西蒙知道了："一罐蜂蜜！你替小熊准备的？你一定看到它了，你知道它在哪里吗？"

莉娜摇了摇头，说："我不知道。"

"那这罐蜂蜜是给谁的？你自己？还是你也是小红帽，打算把这个带给你的外婆？"

莉娜生气得涨红了脸："你在这边乱搅和什么？管好你自己的事就可以了！"

西蒙用一种审讯的眼光看着她，过了几秒钟，他喃喃说道："莉娜，你不应该给它吃这个东西。这样你会暴露它的行踪的。它会慢慢习惯，然后经常来这里，那些猎人要找它就容易了。如果你给它那些它喜欢的东西，它会抵挡不住诱惑的。然后……砰的一声，死了！"

西蒙用两个手指指着莉娜的前额。

"这是你想要的吗？"

"不，当然不是……"

"那你这是要去喂它，是吧？你看见它了？"西蒙坚持不懈。

莉娜决定不曝光她的秘密。它太稀有，太珍贵了。她想为自己多保留这个秘密一段时间。

"我也喜欢熊，"西蒙接着说，"我不会杀死它们的。我不像那些猎人，会带着有腐肉味道的衣服。你知道的，这会让熊变得疯狂。"

"不,我不知道。我也感觉不到这种味道。艾凡他也欢迎我的到来。"

"艾凡?"

西蒙有些错愕,"这样的话,它叫艾凡?"

多蠢啊!莉娜都想抽自己嘴巴了。

"我要走了,你让我觉得很尴尬!"

她转身准备走的时候西蒙拉住了她,"听着……"

一声鸟叫划破天空。

西蒙的嘴变圆了,他在模仿刚才的叫声。一会儿,那只鸟又叫了一声。西蒙开始同样的动作。

莉娜惊呆了。

"你是在跟它们对话吗……"

"是啊,我就是在跟它们说话呀!"

"啊?那你跟它们说什么了?"

"我问它过得好不好,它回答说:'很好,很好。但是我有点担心我的孩子,冬天就快到了。'"

莉娜哈哈大笑:"我不管说的是什么,但我知道这是一只交嘴雀,它的幼鸟从来不会在二月份之前就来这里。"

"你也知道交嘴雀？"

"嗯，我还能够听得出它的叫声。"

西蒙感到有些困惑，"你还知道一些别的鸟吗？"

"很多。"

"如果你愿意的话，我可以教你模仿它们的叫声。"

"好啊。"

西蒙圆着嘴，轻轻地吐了一声。

"来，跟我做。"

莉娜也跟着西蒙圆着嘴，吐出一声。她不仅成功地模仿了叫声，鸟儿还回应了她的叫声。

"它对你说了什么来着？"西蒙问。

莉娜回答的时候眼睛闪烁着快乐的光芒，"桂桂！你的朋友还真是个调皮鬼！"

"在我看来，它是在说你。"

西蒙向莉娜走近了一些，抓紧她的手，问："这罐蜂蜜是给艾凡的，对吗？"

莉娜轻轻地抽出了她的手。

"我该走了，"她说，即使她深受感动，"我没有多少时间了。如果我回去晚了，我奶奶会担心。"

西蒙笑了，"我知道了，你就是那个小红帽。"

"明天见！"莉娜说着，走进那条通向森林的小径。

她躲在几米开外的树后面观察着一切。西蒙走了吗？还是跟着她来了？他犹豫了一会儿，最终还是去找他父亲了。他们都不是坏人，他们那么谨慎，很有可能会给她带来麻烦。他们并不了解她，他们都不如她那么了解艾凡，了解这个森林。

这罐蜂蜜是莉娜带给艾凡了，很快它就可以吃到了！但是给动物喂食的时候必须耐心，也需要勤奋。莉娜觉得她自己有点讽刺：勤奋，这应该是老师才用的词！她的成绩单上有多少个"不勤奋"？

到了目的地，她用树枝将蜂蜜都弄出来，倒在树下。这就像一个小小的金色丘陵。接着，她蹲在了那棵树后面。

"艾凡你在这吗？我给你带蜂蜜来了！"

什么动静也没有。但莉娜不是一个轻易放弃的人。尽管它一直不露面，这也不表示它不在。她接着跟它说："那些人正在准备一场袭击。他们想把你杀死。庆幸的是你知道腐肉的味道。你要藏起来！"

后面的动静使莉娜转过头，莉娜肯定艾凡就在不远处。

"我还会给你带吃的来，你可以信任我。哪天我要给你介绍我的小弟弟，他叫蒂图，我跟你说过的……"

莉娜看到了艾凡在树干后面的头。

"我知道你在听。你知道吗？你长得很漂亮。你比我在电视上看到的那些熊都漂亮。何况，这些熊还都是明星呢！巨人艾凡，祝你有个好胃口！"在走之前，莉娜说道。

14

　　阿莫娜把蒂图放在自己的膝盖上，一副轻松的样子看着莉娜。

　　"奶奶，你不用担心。来，蒂图，我们吃饭喽！"

　　莉娜把弟弟安置在椅子上，给了他一碗有果酱的酸奶，然后去找她的历史课本。明天有一个测验。如果她可以取得一个好的成绩，这对她的高考又多了一分胜利的希望！

　　"我应该要看这些，还有这些！"她一边说，一边把书递给奶奶。

　　"开始吧，我听着。"

莉娜开始复述路易十六时期的封建体制危机，弹珠盟约，还有人们攻占巴士底狱的故事。在废除封建特权这块，她显得有些犹豫。

阿莫娜摇摇头，"你不知道这些啊？"

"奶奶，给我念一遍吧，这样我会记得更快。"

阿莫娜拒绝了。莉娜不明白为什么她每次都拒绝。

突然，阿莫娜朝着天空张开双臂："神啊！"一边喊着，一边看着蒂图。

祈求神灵会给她带来什么吗？莉娜寻思着，她看向阿莫娜，她是那么兴奋。她的小弟弟用力地用汤匙敲打着碗，溅了满脸的酸奶。

"蒂图，你太不乖了！"

"没有，没有不乖……"

蒂图用眼角瞄着她，看看姐姐是不是真的在生气。他歪着头，尽量让自己不笑出来……多么迷人啊！

但是莉娜忙着给他收拾。

她给他擦干净了脸，把他放在毯子上，让他自己玩。

"蒂图，乖乖的，姐姐还要学习。奶奶，您会看着他吧？"

莉娜在房间里重新翻看历史课本，特别是关于废除封建特权的那部分。她沉浸在书的世界里，浑然不知天已经黑了。房间笼罩着一片半明半暗之中。该去照顾蒂图了，她要去给蒂图洗澡了。

这是蒂图最喜欢的休闲时刻了，他甚至都不怕把头浸在水里。

"过来，蒂图，我们洗完了，来擦一擦！"

莉娜才刚开始收拾浴室，蒂图就趁这个时候到处乱跑。蒂图再跑回来的时候，莉娜呼吸突然停顿了：他穿上了妈妈的鞋子，头上戴着妈妈的草帽，那是夏天妈妈去菜园子的时候戴的。他跟妈妈长得多么像啊！一样的蓝眼睛，一样的栗色头发！他就是一个迷你型的妈妈！蒂图把头歪向一边，享受着他的成果。

莉娜沉浸在那个画面里，她有些震惊，以至于她没有听到开门的声音。

"为什么这个小子不待在床上？"爸爸咆哮道。

莉娜迅速回过头，爸爸的脸因为愤怒而扭曲，用手指着蒂图，那个样子近乎控告。他靠近蒂图，粗暴地把草帽给掀翻了。

"去床上待着!"他怒吼。

蒂图也吼了一声,但是声音里含着害怕。他跑到房间的另一头躲着,却被玩具毯上的东西绊倒了,头磕在了长椅上,蒂图疼得哇哇叫。莉娜赶紧跑过去把他拉起来,弟弟的脸颊都红了。

这时,阿莫娜用巴斯克语训斥着儿子,声音低沉而冷淡。爸爸甩了一下门就出去了。

房间里,莉娜试着安慰蒂图,为了让他平静一点,莉娜给他唱摇篮曲,轻轻拍着他的肚子哄他睡觉。

"啦,啦……我的蒂图,不要哭了哦,会好起来的,我一直在这里……"

阿莫娜也来了。她不发一言地坐在莉娜的床上,把手放在莉娜的手上。

蒂图眼睛里还包含着泪水,但终于睡着了。

"毕罗巴,你爸爸有太多的悲伤。"阿莫娜喃喃说着。

这不是理由!难道她就没有悲伤吗?!蒂图呢,他什么都不是!

莉娜不打算跟奶奶谈下去,没有什么好谈的。

15

　　莉娜想念艾凡了。在西蒙做的展示中，熊是一种按照自己的方式生活的动物，就像我们的祖先一样。它们是杂食动物，能够用两只脚走路，有很好的记忆力，很聪明。

　　有些时候公熊会很粗暴地对待它们的熊崽。熊妈妈为了保护自己的孩子，会把熊崽赶到洞里头。这是西蒙教她的。专家至今也没有找出熊爸爸这么对待熊崽的理由。难道它们嫉妒了？莉娜觉得有些难以置信。艾凡是那么善良，那么安详。然后，它看到自己的妈妈遭受痛苦最后死去的情形，它可能会因此变得凶残。为了忘记它们的痛苦,这些熊又该怎么办?

第二天蒂图醒来的时候，莉娜看到他的脸上有一大片淤青。他们会撞见玛丽昂·阿里艾蒂！那时她会怎么想!

校车里,西蒙挨着莉娜坐,"猎杀行动定在星期六。"他突然说道。

"这周六?"莉娜警醒地问道。

"嗯,有人来通知我爸爸。"

莉娜看着西蒙,有那么一瞬间,她想对他打开心扉,告诉他她跟艾凡的相遇……

"两个人可以更好地保护熊,你认为呢?"西蒙低声说。

过了五分钟,玛丽·弗兰西打断了他们的谈话:"孩子们,上课喽!"

西蒙朝着学校走去,莉娜追上他,"我同意!"

"你同意了?"西蒙重复了一下,他并不相信自己所听到的,"你的意思是你知道它在哪里?"

莉娜点了点头。

莉娜把蒂图带到威利舅舅家里,威利舅舅一下就看到了蒂图脸上的淤青,"发生什么事了?"

"他磕到了椅子。他在桌子的周围跑来跑去,然后摔倒了。"

"我说蒂图,你真是个爱玩命的小孩子!"

"不是,我不是!"小蒂图很坚持,很严肃地说道。

"我要走了,蒂图晚上见。乖乖跟舅舅待着!"

"不要!"蒂图回答,他决定一整个早上要对任何人说不。

"你妈妈有去打听吗?"一碰见芬妮,莉娜就问道。

"嗯,有。她在店里贴了公告,她也告知了来店里的人这个事。"

"啊,这样,谢谢啊!我们可以找到人的,对吧?"莉娜接着说,她需要一个这样的信念。

"我了解的不是特别多,妈妈说时间不多了,村里有个妇女也遭遇了同样的情况,所以……"

"所以什么?"

"她在村里也找不到可以带孩子的人。然后她不得不每天白天黑夜地走五公里的路去接送她的女儿。多么艰难啊！接着她很有可能要停止工作了。"

莉娜缄默不语，脸色僵硬。

"对不起，"芬妮说，她看到此时的莉娜脸色暗淡，"我们都做了该做的事。不管怎样，惊慌也于事无补。我们走吧？"

16

放学后，在去威利舅舅家接蒂图之前，莉娜先去了胡梭姥姥家，花园的栅栏敞开着。在屋后的小院子里，莉娜仔细地看了看植物，她收集了几片叶子之后就跑开了。

"蒂图，你今天乖不乖呀？"一进锯木厂莉娜就说道。

角落里，蒂图穿得像一个小木匠，系着围裙，拿着锤子在敲木头。他看起来是多么快活啊！

"这……那……这……那……这……那……"蒂图一边敲打一边有节奏地唱着。

"你在做什么呢？"莉娜问。

"跟舅舅一样……"蒂图回答。

"他好聪明！"舅舅赞叹，"他什么都想弄明白，什么都想碰，什么都想做，而且完全靠自己。"

莉娜上前去抱蒂图，让他在空中跳跃起来，"舅舅对你好不好呀？"

"不，不好……"

莉娜这时发现他的脸上有些不快，因为她打断了他的游戏。这些人多么宠弟弟啊，让他们看看！

"舅舅你要不要去看胡梭姥姥？"莉娜问威利舅舅。

"嗯，我有这个打算。"

"那你能把这封信带给她吗？"

"当然可以。"

昨晚，莉娜写了一封信：

亲爱的胡梭姥姥：

我希望你能不受那么多的苦。你要快点好起来，蒂图需要你。村里面没有其他可以带孩子的人了。玛丽昂·阿里艾蒂想把蒂图安置在一个离这里很远的家庭。

你要告诉他们说等你痊愈了，你还会继续照顾蒂图。

我在你家的花园搜集了几片叶子，希望你快点好起来。在信封里，你找找看！

威利舅舅还会给你带一些香槟，姥姥，你需要这些香槟来使生活充满气泡，对吧？我耐心地等待着你的回信。我想你，深深地亲吻你！

深深爱你的莉娜

莉娜在信封里放了几片叶子，封了口之后把它递给舅舅。

"舅舅你不给姥姥带一些香槟吗？"她问道，"姥姥说那些香槟气泡，可以让生活都舞动起来！"

威利舅舅笑了，"好主意！我去给她买个半瓶，我不确定这是不是必须的，但在生活中，人们通常只做那些得到允许的事，这未免令人有些懊恼。"

莉娜坐在摇椅上，她尽量让自己陷得更深一点，让自己更舒服一点。她让双腿抵着胸口，一副若有所思的样子。她问道："如果人们杀死一只熊，是不是要坐牢？"

"通常是这样。而且还要支付一笔数目很大的罚金。如果是正当防卫的话，就不是这个样子了。"

"那些猎人通常都声称他们是正当防卫，不是这样吗？这也就是拉惠雅不被判刑的原因？"

"嗯，这件事我印象很深刻。为什么你这么问？"

莉娜叹了叹气，"想知道而已。"

突然，莉娜好似上了发条一般跳了起来，"啊，我要错过校车了！蒂图，我们走吧？"

蒂图在地摊上睡着了，手里还拿着小锤子。

"莉娜，让他在这里睡吧。这样你轻松点。他在这里也并不打扰到我，你不留下吗？"

"嗯，不了，我不能留下。谢谢威利舅舅！"莉娜说着在舅舅略带粗糙的脸颊上吻了一下，"明天见！"

"小家伙你还好吗？"玛丽·弗兰西问，"你看起来气喘吁吁的！"

"我跑过来的。"

"你的小弟弟呢？他在哪？"

"他在舅舅家睡觉呢。西蒙呢，他不在？"

"嗯，他让我不必等他。他爸爸带他去看牙医了。

今天晚上你有空了,可以做些自己喜欢做的事了!"玛丽·弗兰西接着说,她喜欢像年轻人一样说话。

这个晚上,家里的气氛缓和了许多,爸爸跟托尼心情不错,甚至可以说是愉快。是因为蒂图不在这里吗?

"妈,"爸爸问,带有一点戏谑的味道,"有什么新闻没?世界还好吗?我们国家的总统找到使老百姓过得更好的方法没有?中国繁荣吗?还有美国呢,如何?"

阿莫娜每天早晨都要听广播,她听得很认真,她了解这个世界发生了什么。她并没有回答,她看着自己的儿子,她的眼睛好像在传达这样的讯息:这个世界怎么会好?怎么会?

对莉娜来说,问题很明了。比利牛斯地区有个有能力的父亲放弃了自己的儿子,这个世界怎么会好?还有这个孩子的哥哥,他放弃了自己的弟弟,这个世界怎么会好?当这个孩子不在的时候他们是那么快乐,这个世界怎么会好?

晚饭之前,莉娜开了电脑,她的邮箱里有一封西蒙的来信。

写道:*上线,我开着MSN。*

莉娜上了线。

西蒙发送了消息：我有个想法。我们明天讨论一下有关猎杀行动的事。我们要找一个方法保护艾凡。

——好。跟往常一样，在校车上？

——嗯，可以。好梦。

——你也是，顽皮鬼。

:-D。（一个大笑的表情。）

17

莉娜喜欢早晨微弱的光，轻拂双眼。她该起床了，艾凡在等她。

她穿得暖暖的，打开窗户跳了过去，腋下还紧紧夹着一袋土豆和三个玉米。

"艾凡，我来了……"她低声念着。

在找到那棵树时，莉娜观察了一下周围的情况。在远点的地方，她看到它了。头藏在浆果丛中，这时的浆果正当季节。在它旁边，雪地里有一道道划痕。可能是蚂蚁巢。艾凡此时应该很享受，蚂蚁也好似喜欢甜的东西。

莉娜慢慢走近。艾凡倏地站起来，很魁梧。头轻轻地向后倾斜，它正在闻味道。突然，它转过头来。它感受到莉娜的存在，它认识她！它没有表现出一点儿的攻击性，相反，它表现得很安静。莉娜接着前进。在离它十步开外的地方，她撕开了袋子，把土豆跟玉米棒倒在地上。

"这是给你的。你应该饿了。在那些湍急的河流中，还有一些金枪鱼。我想你应该知道怎么捕鱼，之前你妈妈应该教过你了吧！"

熊都喜欢吃鱼，通常情况下，它们也是很擅长捕鱼的。

莉娜往后退，如果她一直在那里的话，艾凡不会靠近那些食物的。

耶！艾凡靠近那些食物了。安全起见，它都先闻了闻土豆跟玉米棒的味道，然后开始吃，还一边发出满足的咕噜声。吃完了，它抬起头看了看莉娜一会儿，然后走了。

莉娜跟着它。她想知道它住在哪里。尽管它身材肥胖，可是移动的速度还是很快。莉娜必须用跑的才跟得上它。有时，她甚至看不到它的影子，但是咕噜声还有沙沙声都会给她指路。

很快，她出了森林，在一个满是岩石的山坡高处看到了它。在它脚下，她看到了一块空地，太阳仿佛从那里升起来。阳光洒在那些到处都是的岩石上，在它们中间，小灌木在那里生了根。如果莉娜不跟着来，她永远也不会发现这一块空地！在一根枯萎了的树干后面，莉娜看到了洞穴的入口。这是艾凡的窝吗？不，因为艾凡还在继续前进。

她下了坡，穿过那片空地，然后走进那个洞穴。很宽敞的一个洞穴。很深，但却不很暗，因为这个洞朝东，正对着早晨的太阳。有光也有温度。

莉娜在树干上坐了下来。熊一直把熊崽赶到高处，难道是为了掩盖这个洞口？为了不让别人打扰它的睡眠？如果这只熊是艾凡的妈妈米什卡的话，那艾凡还是一只小熊崽的时候它应该在这个洞里面生活过！

这里可以避风，往右看，人们还可以看到山谷。莉娜用眼睛寻找着艾凡，它在那里，它在那一堆岩石中间。

她把手放在嘴巴上,做喇叭状,大声喊道:"一定不要去森林,那里很危险!明天猎人会去那里,他们要杀了你,你听到了吗?"

在往上爬坡的时候,她最后看了一眼那块空地:不要担心,艾凡,我们不会让他们伤害你的。

在到达小山丘的顶端后,莉娜捡了一些小石子堆放在一棵树下,这样她下次才能找到这个地方。

在回家的路上,莉娜唱起了歌:

朋友,大山很漂亮……

她突然停了下来。她忘记把脚印擦掉了。她很快又折回去,用蕨枝弄掉了那些脚印。

当她准备重新出发时,她听到了交嘴雀的叫声。

难道是西蒙。莉娜感到难以置信,她看了看周围,然后削尖了耳朵听,但此时的森林又好似沉睡了,没有沙沙声,没有嘎吱声,只有鸟叫声。莉娜撅起嘴,模仿鸟叫声。那只鸟回应了她。莉娜乐于解释她们之间的对话,她的每一个回答都带有一种敬意。

　　——我很喜欢你。

　　——我也是。

　　——你的叫声很好听。

　　——谢谢。

　　——朋友,再见!

　　——桂——桂!

　　她轻轻地笑了,心里充满了喜悦,她开始跳起舞来,旋转着,绕着树转,轻轻张开双臂,像是要飞起来一样。

　　过了一个小时,西蒙跟莉娜在车上会合了。

　　"蒂图没有跟你来吗?"

　　"嗯,他在威利舅舅家。说吧,你有什么想法?"

　　"在安全的地方给它带点食物,那个地方必须是猎人不可能会去的地方。"

　　"有道理!"

　　"我们晚上去看看。你有空吗?"

"嗯，你知道的，家人看得并不严……"

"晚上 11 点，我等你。到时我会学交嘴雀叫。可以吗？"

莉娜表示赞同。

"除了土豆和玉米棒，熊还喜欢什么？"莉娜接着问。

"几乎所有的植物。还有少量的高糖食物。你知道一只熊每天要吃多少食物吗？ 40 千克啊！"

"好吧，但是我们只有两个人，也带不了多少。它们最喜欢的食物是什么？"

"蒲公英。但现在正当季的是四季豆。当然它们也喜欢蜂蜜，有时候也吃野味。不要忘记了，它们是杂食动物。"

"晚上它可能不会出现……"

"有可能。它们不可信。特别是你的艾凡。"

"你怎么知道？"

"两年前就知道了，它知道该怎么躲避人类。这是多么伟大的一件事！没有人知道它的存在。"

"它完全有理由不相信人。我听你说过猎人杀了它的妈妈。但是和我……"

"嗯，和你怎么了？"

"它和我是不一样的，我们之间好像有什么东西……我们自己明白，就好像它的思想是在我的脑子里一样。"

西蒙又一次若有所思地看着莉娜："你真是一个奇怪的女孩子……"

18

这一天过得很慢，一整天莉娜都没办法集中精神。

下午，历史兼地理老师突然有点粗鲁地向莉娜提问："莉娜？"

但莉娜没有听到，那时的她在自己的世界里遨游，一会儿在高山上，一会儿在窗户边上。晚上，听到西蒙发出的交嘴雀叫声后，他们一起去了森林。

"莉娜？"

"到！"莉娜机械地回答。

同学们哈哈大笑。

"你没开玩笑吧？"老师讽刺她。老师的讽刺从来都是这么及时。

出了校门口，莉娜正要往舅舅家走，汤姆追上她，说："他们已经决定了，明天会开始猎杀行动，我爸爸让我也一起参加。"

此时，汤姆·拉惠雅发现了莉娜的窘迫。

"到时我请你去我们家，你就可以跟它问好了。"他冷笑着强调这一点。

"你们没有那个权力，"莉娜抗议，"我要去告发你们……"

接着，气氛变得紧张，汤姆一直走近莉娜，直到碰到她："跟平常一样，这会是一个意外！两只眼睛中间，砰的一声！"

跟西蒙一样，他用两根手指指着莉娜的前额。

蒂图在舅舅家继续玩着他的锤子，在一片铁板上使劲地敲打。

莉娜过去抱了抱他，接着在威利舅舅身边坐了下来。

"舅舅，你应该帮我找一个人来带蒂图。如果没有人带他的话,他会被带到福利之家的。"

"谁跟你说的?"

"玛丽昂·阿里艾答。她找了一个人来带蒂图,但是那个人住得很远。蒂图就必须待在那里一整周。"

威利舅舅沉默了。他交叉着双臂,起身去点了鼻烟壶,然后又回到莉娜身旁坐了下来,清了清嗓子说:"莉娜,听我说,如果这是一个好办法呢?"

莉娜惊呆了。她不相信自己所听到的,"什么? 好办法? 你想说什么?"

"你应该知道姥姥太老了,她已经没办法照顾蒂图了。阿莫娜也是。而我呢, 有工作要做。这是唯一的办法。"

莉娜不明白:威利舅舅竟然同意玛丽昂·阿里艾答的意见! 她迅速起身,喊道:"你、你怎么可以这么想? 你认为妈妈会愿意吗?"

"在生活中,有时候我们没有选择。"

威利舅舅,妈妈的亲弟弟,竟然跟其他人站在同一战线,都要把蒂图从她身边带走! 喉咙里有什么东西噎住了,这令她窒息。但她忍住不哭。她不要在蒂图面前哭。

"不，"莉娜面色凝重，从牙缝里挤出来这几个字，"我不会让这件事发生的。我不会让你们这么做的。"

"莉娜，不要'固执'了。"

小时候，每当莉娜赌气的时候，这个词就像是阴霾天空中的一道彩虹，让她在自己阴沉的思绪中看到光亮，看到色彩。这时莉娜便会放弃她的执拗，接着放声大笑。但现在她长大了，已经不再是从前的那个小女孩。现在的情形也更严重。

"不，"她重复了一遍，"我不会让它发生的。"

莉娜粗暴地抓住蒂图，把他抱起来，跑走了。威利舅舅急忙用胳膊抓住莉娜："你冷静点儿！过去那里坐！"

莉娜粗暴地挣脱了。

"让我走……"莉娜用一种嘶哑的声音呻吟着，"让我走。我讨厌你。"

她几乎哭了。

她飞快地跑了，内心翻腾，呼吸短促，泪水在眼眶里打转。

"莉娜，生、生气了？"蒂图小声地问。

但莉娜脸色严峻，根本没办法回答他。蒂图就哭了。

她快要上车的时候，碰见了玛丽昂·阿里艾答。

"莉娜，你好。蒂图怎么了？小家伙，你为什么这么伤心呀？哦，你是不是自己做错事了？"

玛丽昂抚摸着蒂图脸上的那块淤青。

"他摔倒的时候磕到椅子了，就这样！"莉娜有些抗拒。

"莉娜，你冷静一点！他会给你带来什么？"

"他不会去福利之家！永远也不会！"

接着她匆忙跑上了车。

她再也抑制不住眼泪，泪珠直往下掉。

"莉娜，哭、哭了？"蒂图担忧地问道。

他把头靠在姐姐的肩上，试图给姐姐一点安抚。

"我永远也不会让他们这么做的，"莉娜对他说，"我保证。"

19

这天晚上，托尼比平常回来得早。令莉娜觉得惊奇的是，托尼神色放松，或者说是近乎愉悦。刚一进来，他就对莉娜说："晚上我带你去看电影，我的丽内特。"

莉娜回答的时候犹豫了一下，她并没有这个心情。经历了舅舅的背叛，又遇见了玛丽昂·阿里艾答，她已经没有玩乐的心情了。

"我们去吧？你同意吧？"他继续坚持，"半小时后出发。我可以先去洗个澡。"

"好。"她答应了。

他们兄妹俩已经很久没有在一起玩过了。但她能及时赶回来赴西蒙的约吗？电影的场次是 8 点 15 分的，正常情况下，她可以在 11 点之前回来。

过了一会儿，阿莫娜照顾蒂图，而他们两个人挤进了车里。

"我们看什么电影？"

"侦探剧。看起来很不错。"

托尼的车有股薄荷的香味，闻起来很舒服。莉娜翻了翻杂物箱，找到一盒口香糖。

"我能吃吗？"

"当然。也给我一颗。"

莉娜递给托尼一颗，问他："明天你要去参加那个猎杀行动吗？"

"不去。"

"还有谁要去？"

"拉惠雅，爸爸，还有一些牧羊人。他们当中，当然有莱昂了……"

"这令我有些吃惊……"

如果说他们之间有些激进的人，那必是莱昂无疑。他从来不会错过任何一场猎杀行动！然而他总是有借口的,比如他的羊丢了。这跟拉惠雅不一样!

"汤姆·拉惠雅也去。是他告诉我的。他没拉惠雅老爹厉害。肯定的是,他也会带上他的狗,那只狗虽然不大,但是具有很强的攻击性,跟他主人一样,够无赖。"

"那只狗叫什么?"托尼问。

"猎熊。"

"对,是猎熊。"

托尼哈哈大笑:"不管它叫什么了。如果那只熊咬了它,我们也就只能叫它'猎狗'了!"

莉娜也笑了,这时她想到艾凡。艾凡这只大熊要成为猎狗的熊了。

"不,"她说,"它应该成为一只更好的熊。你认为他们会找到熊吗?"

"我怎么会知道呢!我只希望那只熊够聪明,不要暴露了。"

"它确实很聪明。"莉娜不小心吐出这句话。

"你是怎么知道的?"

莉娜开始想着之前的经历。她想到了之前跟西蒙的对话。

"从那时起,没有人见过它,它该是多么的聪明！"

"有道理。人们找不到它实在太不可思议了。它从哪里来？如果它真的存在，那它就是那只被杀的熊——米什卡生的小熊。"

"也许吧……"莉娜装作不知道。

突然,莉娜脑海里掠过一个想法。她对托尼说:"晚点我要去当森林卫士。"

托尼被逗乐了,说道:"我打赌,森林里所有的动物你都想保护，对吧？森林卫士……我也喜欢。我听妈妈说过。她说采石场的工作就是狗的工作,累得半死。但我想当一个男子汉，一个真正的男子汉。所以对于我来说,学习不过是小孩子该做的事情。"

莉娜把手放在托尼手上。他反握住她的手，拉住她的指尖。

"电影什么时候可以结束？"她问托尼。

"10 点 15 分。"

电影院门口排起了长队。有个年轻女孩一直在他们周围打转。

"你认识她吗？"莉娜想知道。

"算是。"

莉娜笑了。

"我觉得她喜欢你。"

"管好你自己啦！"托尼回答，眼睛却一直看着那个年轻女孩。

那个女孩对他做了一个手势。女孩留着中长的栗色头发，身材瘦弱，还有瘦削的脚踝。

"我想你也喜欢她！"莉娜说。

过了一会儿，托尼在大厅里选了个位置，离那个女孩不远。

托尼是一个谨慎的人。这是他的女朋友吗？但是，莉娜也没有在家看过她。而且她也没有看过托尼带任何的女生回家。以前，托尼有时候晚上都不回家。有一天，她就问妈妈："托尼去哪里了？"

"在维纳斯的怀抱里。"妈妈回答。

"维纳斯是谁？"

"她是所有男人都喜欢的女人。"

莉娜明白了，哥哥幸运地找到了这么一个女人。妈妈看着女儿一副惊讶的样子,笑得前俯后仰。

电影很吸引人。但莉娜仍有些忧虑,她会时不时地想到晚上跟西蒙的约会。如果艾凡在那,它会怎么面对西蒙呢?会不会嗥叫?突然,莉娜有了疑问,这个约会到底是不是一个好主意?

"你喜欢这部电影吗?"出电影院的时候托尼问她。

"嗯,很不错!"她连忙答道,她几乎从头看到尾,"啊,你看,她在那里……"

"谁?"

"你的意中人!"

那个年轻女孩听到了他们的谈话吗?因为她突然直盯盯地看着托尼。这个眼神深深地触动了莉娜。不迷人,不害羞,却够直白。托尼被看得有点窘迫,脸都红了。

"嘿,嘿,你脸都红了。"

"开玩笑吧你!"

莉娜给了那个女生一个默契的微笑,然后就跑到哥哥后面,离哥哥远远的。

睡觉之前,托尼亲吻了莉娜的鬓角。"晚安,我的小丽内特,"托尼低声说道,"你还记得吧,妈妈以前是这么叫你的吧?"

"我不会忘记有关妈妈的一切。一丁点儿都不会忘记。"

"我也是。有时候我醒来的时候,我就觉得她在那里,但是这不是什么噩梦……"

"如果现在她还活着,会觉得这一切都是噩梦。"

"你想说什么?"

莉娜想不到托尼竟然不知道玛丽·阿里艾答卑鄙的提议。

"你不知道儿童社会福利员打算要把蒂图带到福利之家吗?你觉得爸爸会同意吗?"

托尼脸色不太自然,他试着要逃走。但莉娜拉住了他的胳膊:"回答我!这是你跟爸爸安排的是吗?嗯?你们到底还是不爱蒂图,你们从来没有爱过他!"

托尼掰开莉娜的手指,沉默地走向自己的卧室。关门之前,他带着点惊慌喃喃说道:"他对我来说是那么地……这些让我麻痹了。我已经没有力气去爱他了。"

20

22 点 45 分了，莉娜打开房间的窗户，仔细聆听小路上有没自行车的声音，或者是悄悄的脚步声。她在等待西蒙发出的信号，等待交嘴雀的叫声。莉娜的眼睛在黑夜里搜索着……

她有些不耐烦，索性就找食物去了……她在地窖里拿了一个玉米棒，一些蜂蜜，一点土豆，还有四季豆……塞了满满的三个塑料袋。接着她把这些东西都堆房子檐下的小雪橇里。

"哔——哔——哔——哎！"

是交嘴雀的叫声！

莉娜赶忙推着雪橇去跟西蒙会合。西蒙把自行车藏在一棵灌木后面,他肩上扛着一个大袋子,以至于他被压得有些驼背。

"准备好了没?"

"嗯。"

"很好,我跟着你走。"

莉娜犹豫了,她能跟西蒙分享她的秘密吗?

"你害怕了?你不相信我?"西蒙有些不安,他察觉出了莉娜的窘迫。

"不是的。"

莉娜应该告诉她为什么自己会相信他的,因为他会跟鸟儿讲话,会回应鸟儿的叫声;因为他的眼睛从来不会说谎;因为他也不喜欢汤姆·拉惠雅。也因为他能够准确地描述她第一次看到熊的那种感受。然而,她只对他说:

"看到它的话,我们要离它远一点,是它决定是否要靠近我们。"

西蒙同意了,他说:"放心,我又不是疯子。如果它不愿意靠近我,我们很快就能感觉到的。一般顺风的话，熊可以在一公里半的地方就闻到人类的味道。美洲印第安人有句俗语：当一根松针掉在地上，鹰会看见它落地，鹿会听到声音，熊会闻到味道。"

"当一根松针掉在地上，"莉娜重复念了一遍，"鹰会看见它落地，鹿会听到声音……哇！好棒！艾凡会闻到它的味道。我记住了！"

"那，莉娜我们走吧？"西蒙问。

因为他们两个人都带了很多东西，他们整整花了二十分钟才到达莉娜经常蹲在后面的那棵树。

"它就是从这儿来的……"

"你是不是在这给它蜂蜜的？"

"嗯。"

"这里太明显了，应该另外找一个地方。"

"我知道有一个地方……"莉娜答道，"跟我来，从这儿走……"

因为莉娜之前堆起来的那堆石子，她毫不费力就找到了那片空地。微弱的带点蓝色的月光洒在那片空地上。莉娜指给西蒙看那个洞穴。

"它隐藏得多好啊。你怎么找到这的？"

"今天早上我跟着它来的……"

"这是它住的地方？小心，它可能在里面！"

"我不这么认为，我已经进去过了。"

"那里面有没有一张叶子做的床？有没有粪便，或者其他痕迹？"

"什么都没有。"

"那好，我们把食物都撒在地上，"西蒙建议，"我们该怎么做？分类处理？蜂蜜在一边，肉和蔬菜在另外一边？从玉米棒开始？"

"很好！这样艾凡就有了头盘、主菜还有甜点！它肯定会喜欢的！艾凡是个大胃王！"

"为什么你会叫它艾凡？"

"我觉得这适合它。"

他们撒完了食物，正准备回去了，这时，莉娜抓住了西蒙的袖子："看！在那里！"

艾凡正站在一块平整的岩石上，月光下它的影子令人印象深刻。

"多美啊！"西蒙被征服了。

"艾凡！"莉娜叫道，"我来向你介绍，这是西蒙，我朋友。我们给你带了很多好吃的！你闻到了吗？这样你明天就不用去森林了！"

"它很好看。"西蒙再一次赞叹道。

艾凡把爪子放下来，安静地消失在一堆岩石之中。西蒙太激动了，以至于都动不了。他往艾凡之前站的地方望了一会儿。

"你说得对，"西蒙喃喃细语，"这个名字很适合它。艾凡是巨兽……这是一个英雄的名字。"

两个孩子不发一语地往回走了。突然，西蒙弯向莉娜，亲吻了她的脸颊。

"谢谢你。"西蒙低声说。

过了一会儿，西蒙在取回自行车时，对莉娜说："莉娜，这一次他们不会找到它的。"

西蒙走后，莉娜闭上眼睛，她的心有了小小的悸动。

21

早上很早的时候，猎杀行动进入了准备阶段。莉娜家挤满了猎人：拉惠雅和他的儿子，当然，还有一些猎人，包括莱昂，还有两只狗，一只是汤姆的，它有一个荒诞的名字，还有一只是莱昂的狗，叫巴图。这些猎人都带了枪，每一个人都像是在神的诅咒下越挫越勇。

"我会把它的皮剥了！"莱昂大喊道。

妈妈不会支持这种做法的。每当拉惠雅来家里的时候，她都会找借口避开他。

"熊有什么用？嗯？"上一次猎杀行动一切准备就绪的时候，他说，"我一直在思考这个问题。谁能告诉我？"

那时，莉娜的妈妈就生气了，莉娜清楚地记得！一贯的沉默变成了震耳欲聋的喊叫声，这种情况很少很少发生，周围的一切都屏住了呼吸，仿佛连大自然都张着耳朵贴在窗户上听呢……

妈妈用一种颤抖的声音答道："暴风雨有什么用？光呢？闪电呢？夕阳还有它那个颜色有细微差别的圆盘有什么用？春天到来的时候，燕子欢快得颤抖，又有什么用？那些老人呢？还有孩子们的哭声呢？"

拉惠雅和莱昂都被这席话吓到了。

"它们是活的！"妈妈接着说，"美丽的，自由的！能够这样简单地看着它们已经是莫大的幸福了！"

说完，她就出去了，留下那一群惊呆了的猎人。莉娜也跟着妈妈出去了，她们两个一起去爬山，在森林里散步，直到午饭时间才回去。

汤姆·拉惠雅，这个狂热的人，他不会错过任何一件发生的事。

"我们会找到它的！"汤姆对着莉娜大声喊道，"猎熊会逮住它的，你的大玩具熊已经度过它的最后一夜了！是吧，猎熊？"

那只狗因为主人的叫喊声而兴奋起来，它开始吠……

汤姆·拉惠雅两根手指并拢，就好像他握着枪一样，又是砰的一声！

门哐当一下，屋子里又恢复了平静。莉娜在壁炉前坐了下来，她坐在阿莫娜身边，跟往常一样，她正认真地听着收音机。

"意大利真的地震了"，阿莫娜说，"他们在瓦砾堆里找到了一个 94 岁的老妇。她还活着！她在那里待了 30 个小时！你知道她怎么度过那些时间的吗？果真！但不是所有人都有这样的运气。这次地震有很多的伤亡。毕罗巴，你昨晚睡得不好吗？"

莉娜盯着壁炉，思想却停留在别处。

"你在想什么？"

"你觉得他们会找到那只熊吗？"

"可能吧！拉惠雅老爹是狂热份子，他想把那只熊据为己有。"

"如果他杀了那只熊，我要去告他。"

"什么……毕罗巴？为什么你这么生气？你从什么时候开始对熊感兴趣了？"

"他们已经杀了熊妈妈，你不认为这已经够了吗，难道不是吗？"

早晨，威利舅舅来拜访她们："莉娜，给，我把小推车给你带来了。昨天你把它忘在我那了。我还给你带来了胡梭姥姥的回信。给！"

莉娜接过信封，默默地跑回房间，正要关门的时候，舅舅叫她："莉娜……"但她不想向敌人妥协，舅舅也就不再坚持。

过了一小会儿，她知道威利舅舅赢了。

我的小心肝：

这是一种不幸，是吧？你问我能不能继续照顾蒂图，我真的很愿意。儿童社会福利员来看过我了，她不认同。她觉得我年纪太大了无法照顾小孩子。不管怎样，你爸爸他签了文件。小宝贝，这不是我能决定的。但是请你相信她,她看起来很好,很善良。

谢谢你采的植物。你挑得很好,这正是它们应该有的样子。

至于香槟,这确实是个好主意啊!刚开始护士有些生气,后来我给她倒了一小杯,一切突然就好起来了!请代我给蒂图大大的亲吻!我两个礼拜后出院。深情拥抱你。

你的姥姥

爸爸他竟然签了那份文件……

莉娜跑向放文件的小书房,翻箱倒柜之后,她找到了那份文件,上面写着:请求将孩子送往福利之家。

上面有弟弟的名字:蒂图安·拉珐尔各,还有他的出生日期、住址。底下有爸爸的签名,清晰可见。

莉娜崩溃了。

她感到有一只手放在她的肩上。莉娜迅速回过头,是阿莫娜。

"奶奶,我爸爸他有没有告诉你这个决定?"

她在阿莫娜面前晃动着那张纸,阿莫娜因为孙女的这个举动而有些发楞。

"你的儿子他没有告诉你要将蒂图送去福利之家？他是那么地想扔下蒂图！"

莉娜揉皱了那张纸，狂怒地把它扔在地上，接着她倒在了正对着壁炉的扶手椅上。

"毕罗巴，周末的时候他就会回来。"阿莫娜低声说，"你可以专心学习。在我看来，在没有更好的办法之前，这不失为一个好办法。"

好办法？他们都果断地用了这个词！他们在她背后搞了这么大的阴谋！莉娜感动震惊，她看着奶奶。

"不，你不可以这样想……"莉娜结结巴巴，眼泪就快夺眶而出。"奶奶，不应该是你……"

面对着奶奶长时间的沉默，莉娜反抗道："我烦透了学习！你听到了吗？我永远也不会让蒂图离开！"

"毕罗巴，学业很重要。你的将来都靠着它。你爸爸他很后悔以前没有好好学习。你哥哥也是如此。我们没有抛弃蒂图，只是应该多给我们一点时间……"

"时间？不，我不会让这件事发生的。你要相信我。"

莉娜站起来，朝着她的房间走去。关上门的时候，她听到奶奶含糊地说："可怜的孩子……"

莉娜不知道这句话究竟是说她还是说蒂图。她打开房间门，朝着客厅大声说："不，他不可怜！只要我在这里他就不会可怜！"

她已经决定了，她要好好安排接下来的事情。她心里头已经有了一个计划。

22

晚上，猎人们毫无收获地回来了，莉娜松了一口气。当汤姆·拉惠雅走过门口的时候，莉娜朝他和他的狗吐了吐舌头。

然而，她的幸福如此短暂。听着他们七嘴八舌的讨论，莉娜才知道原来他们明天还要继续去打猎。

那些猎人走了之后，他们开始吃晚饭。

"怎样？"托尼问爸爸，"为什么会一无所获啊？"

"没有一点信息，没有一点痕迹，什么都没有！"

"咳，咳，咳，"汤姆咯咯地笑了起来，"这是只聪明的熊呀，太聪明了！"他接着朝莉娜眨了下眼。

"我们明天还会去的。拉惠雅老爹已经布置了陷阱。"

"什么样的陷阱？"

"我们会到处洒点蜂蜜。没有一只熊可以抵挡住蜂蜜的诱惑。"

"可怜的熊啊！丽内特，我跟你一样，"托尼说，把手搭在莉娜肩上，"我不喜欢人们猎杀那些熊。"

这时，突然传来一声刺耳的喊叫。莉娜吓了一跳，蒂图！她跳了起来，这个小家伙站在卧室的门槛边上，哭得很大声。

"啊，莉娜……"他抽抽搭搭地说。

"我的小宝贝，你在怕什么呀？"

"有一个恶——人，看——看着我。"

"恶人？但是没有啊，这里没有恶人呀！"

莉娜说这些话的时候，她忍不住盯着她爸爸看，爸爸避开了莉娜的眼光，头都快低到盘子里去了。

"来，指给我看看恶人在那里。我们用木棒重重地打他！"

莉娜把蒂图哄回了房间，原来那个蒂图害怕的"恶人"是爷爷的画像。画像上，爷爷表情严肃。

"他……他还看——着我……"蒂图可怜分分的。

爷爷的画像，那么严肃，确实是有点像在直勾勾地盯着你，还瞪你。现在蒂图还是太小了，他也没办法分辨。莉娜就把画像翻了一面，有画像的一面向着墙。

"看，我们惩罚他了。你看，他再也不笑了。"

她开始哄蒂图睡觉，把音乐也开了，一直待到蒂图又睡着。

早晨4点的时候，莉娜就醒了，她做了一个滑稽的梦：那里有妈妈，她穿着白花蓝底的裙子，卷曲的栗色头发，看起来就像是一个少女。高处艾凡正等着她们。妈妈朝艾凡做了一个手势，艾凡开始摇摇摆摆，好像在为妈妈跳舞。就算是艾凡，也被妈妈的魅力而折服！

接着，她跟妈妈两个人在河边躺了下来，妈妈抚摸着莉娜的头发，在耳边轻轻地说："我的丽内特，好好照顾他。"

"嗯，妈妈，我知道了，我会好好照顾他的，你不要担心，"莉娜在黑暗里念叨着，"就算是到了现在也一样。"

她起身，坐在桌旁给阿莫娜写了张纸条：

奶奶：

　　我走了。我需要时间。

　　我厌恶你们所谓的"好办法"。

　　我要保护蒂图。

　　他只有我了。

　　就像我保护那只猎人们想要猎杀的熊，因为它是我的朋友。

莉娜

　　莉娜踮起脚尖走路，悄悄地把纸条放在奶奶的床头柜，用眼镜压着，这样，奶奶醒的时候就可以看到了。一切都准备就绪了！

　　她接着去找昨晚被她揉皱的文件，但是没找到。应该是奶奶收起来了。她去书房找了找……找到了，就在那里，阿莫娜把它弄平了，放在信上面。

　　莉娜拿了起来，在文件上写了几个大大的字：永远也不会！

　　她把文件放在桌子上显眼的位置，这样他们就能一眼看见了。

莉娜已经没有时间可以浪费了，她只剩下一个半小时，她要赶在爸爸醒来和猎人们会和之前搞定一切。

莉娜去了趟储藏室，往包里装些粮食：牛奶，粉浆，奶酪，米，巧克力，蜂蜜，饼干，面包片……

还应该带一个火盆，一把手电筒。她检查了一下，电池可以用！完美了！为了安全起见，她还带了一个充电器。

莉娜把檐下的小雪橇推了出来，把袋子放在上面，然后她找了个大睡袋，一条毯子，一个水壶，还有蒂图的一些玩具。好了，都带齐了！啊，忘记了妈妈给她做的那个洋娃娃，那个娃娃的布料跟她的蓝裙子一样。莉娜都抱着它睡觉，从来就没有离开过，就像她放在口袋里的水晶一样。

她穿得暖暖的，拿了手套、贝雷帽还有羽绒服。

蒂图的小拳头握得紧紧的。她给他盖上羊毛毯和一条大围巾，把他绑在自己背上。非洲人也都是这么做的。蒂图本能地紧紧贴着莉娜。

莉娜带着她最爱的弟弟，跃过窗户。

23

小雪橇拖的时候有些重。莉娜有时要踢开路面上的石头，靠在树桩那休息一下。

过了十分钟，莉娜就顶不住了。莉娜气喘吁吁的，她又在树底下休息了一会儿才走。

莉娜的嘴里跑出一点水汽。今晚没有月亮，但不管什么时候，莉娜对于森林都是那么的熟悉，她知道她要去的地方……

莉娜看见了那一对猫头鹰黄色的眼睛，她听到了吱吱声，动物的叫声，那可能是黄鼠狼或者狐狸发出的叫声。雪在莉娜的脚下吱吱地裂开了。走着走着，莉娜想到了芬妮。莉娜跟她说了这一切,芬妮赞叹道:"如果是我的话,我也会这么做的！你这么做也是为了生活。小蒂图好像就只有你了！"芬妮跟莉娜是那么的像,她们都是那种在关键时刻就会反抗的人。

莉娜还跟芬妮说了西蒙的那个吻……那个吻是为了感谢她？还是……他爱她？

莉娜呢？她爱他吗？不,她自己不这么认为。肯定的是,她很喜欢他。但是……为什么当他吻她的时候,她的心里有种喜欢的颤抖呢？

最后她看到了自己堆的那些石子。她已经拉不动雪橇了,她靠着一些多刺的灌木停了下来。

背后传来蒂图哭泣的声音。

"嘘……蒂图,我们到了。"

这里是岩石坡了。莉娜怕雪橇会翻,她就把雪橇暂时留在了那儿,然后一直走到洞口。

"就是这里了,我们到了。"

进了山洞,莉娜就把蒂图放下来,让他坐在地上。

"姐姐给你一点牛奶跟蛋糕。等我一下,很快的。

你不要动哦！"

莉娜赶紧跑去拉雪橇，反方向推，这样雪橇才不会从坡上滑下去。山洞里，蒂图乖乖地待在那里，表情有些困惑，他看着周围的一切，仿佛在说："这幢奇怪的房子是什么？"

莉娜拿出了一袋蛋糕，给了蒂图一块。她把小火炉的油点上，上面驾着一口牛奶锅。她心里一片宁静。她一直都很肯定，自己做了一个正确的决定。蒂图是她的一切。谁也不能把相爱的人分开。

牛奶沸了，莉娜装了满满的一瓶，还加了些可可粉给蒂图喝。热乎乎的，就像他应该有的样子。

她把睡袋铺开，跟弟弟钻了进去，上面还盖着毯子，她给弟弟拿着奶瓶。

山洞里有些凄清，但她会把它收拾好的。她要把这里变成一个温暖的地方。他们会过得好好的。

莉娜闭上眼睛，手里紧紧握着那块石头，它在黑暗里发出微弱的光。

24

当她醒来的时候，太阳已经升起来了。有个影子来来回回，就停在洞口。艾凡！莉娜迅速站了起来。

艾凡在地上来回闻了好几次，难道它认得莉娜的味道？

"啊,啐……"蒂图抱怨着,把头转向艾凡。

"蒂图,不要怕。这是艾凡,它很善良的。"

"艾凡？巨——人？"

莉娜笑了,"嗯,是巨人？艾凡,这是蒂图,我的小弟弟。我跟你说过他的,我来这里是为了躲避我的家人,因为他们要把蒂图从我身边带走。"

艾凡站了起来,咕噜叫了几声就走了。

阳光一直蔓延到他们身上,现在应该八九点了吧。莉娜从睡袋里出来,她想去洞口那边待着。莉娜可以清楚地看到山谷那边,现在已经没有雾了。天空一片澄净,稀稀疏疏的几片云在那,而这些都不是下雪的征兆。

莉娜想到了奶奶,她应该看到了她留下的纸条吧。莉娜总想不明白,为什么奶奶会同意把蒂图送走?她明明是爱蒂图的呀!莉娜怎么也没想到奶奶这么做的理由是因为她的学业。不管理由是什么,阿莫娜嘴里永远也只有这个词——好办法!

爸爸呢,对于他们离家出走会有什么样的反应?他一定会打电话问威利舅舅她在不在那里。

莉娜竖起耳朵,这个时候,猎杀行动应该开始了。但是她既没有听到猎人的喊叫声,也没有听到犬吠的声音。他们应该放弃了。莉娜心理有一阵喜悦,艾凡得救了!

她脱掉羽绒服,在空地那走了一圈,看看艾凡有没有吃她跟西蒙给它带的食物：地上什么东西都没了，没有蜂蜜，没有土豆，也没有玉米棒！真是个大胃王呀！

突然，蒂图在叫她，小家伙摇摇摆摆地跑到山洞外边来了。莉娜怕蒂图会被石头绊倒，她赶紧跑过去抱住他。莉娜帮蒂图穿衣服，让他穿得很暖和，然后让他坐在玩具堆里。接着她就开始工作了：她去搬了一些大石头过来，在入口那边建起了一面小矮墙。

过了半个小时，莉娜收拾好了。她满意地看着自己的劳动成果，她建了一个迷你的花园，有一面足够高的"围墙"，这样蒂图就不能随便跑出去了。

这时飞过来一只鸟，它没有看到莉娜，径自在石头上跳跃着。蓝色的翅膀，橙色的头。

"鸟——鸟。"蒂图兴奋地用手指着它。

"这是戴菊莺。"莉娜教他。

"漂——亮的鸟——"

"嗯，这只鸟很漂亮。"

突然它就飞走了，蒂图的眼睛跟着它。

"鸟，飞了。"

"会飞回来的，我们给它弄点蜂蜜蛋糕。"

就过了一会儿,莉娜和蒂图看到了一只小松鼠。

"哦!松——鼠!"蒂图开心地说道。

但是,这小家伙一跃,就又跑到松树里去了。

莉娜和蒂图的新家里有戴菊莺,有小松鼠,还有熊。莉娜觉得自己就像印第安部落里的一个族长。这是一个很小的部落,诚然这是有很多动物的部落,但这像是一个家。她想好好地照顾它们。

25

"蒂图,来,我们去散步了。"

莉娜把蒂图抱起来,她要去找些水所以还带了个水壶。她一直往右走,走到前天西蒙跟她发现艾凡的那个地方。她静静地走着,品味着这片空地的宁静。

很快她就听到流水声了。她竖起耳朵听,最终找到了位于岩石堆中的一条蜿蜒湍急的小河。水很清澈。

莉娜让蒂图坐在一块平整的石头上,

再往高一点的地方,岩石后面有河流上游的水溅出,难道这有一个小瀑布吗?莉娜好奇地走过去……

不,这不是一个瀑布。是艾凡,它在水里,水没到胸口，它刚刚抓到了一条金枪鱼。莉娜看到艾凡一会儿的工夫就把玫瑰色的鲜肉吃完了。它学会抓鱼了！还如此地出色！

艾凡看着莉娜，它从水里出来，趴在一块石头上，眼睛在莉娜周围看来看去，嘴巴张得大大的，好似在微笑。

莉娜惊喜地看着她的朋友："你是多么了不起的捕鱼者呀！今天你可以吃点蜂蜜作为甜点哦！现在我跟弟弟住在那个山洞里，你想来的时候可以来，那里随时都有食物给你吃。"

突然她听到了蒂图的声音。

"巨——人，巨人……巨人……"他重复说道。

他在哪呢？莉娜看着周围，看到蒂图手脚并用地往艾凡那边去。

"蒂图，"她几乎透不过气，"蒂图，停下来……"

蒂图在她没有意料的情况下跑到她后边了。

"不要，蒂图，马上过来这里！不应该……"

艾凡发出了低低的咕噜声，它好像并不生气，困惑地看着这个小男孩。蒂图在它一米开外的时候，艾凡就开始闻味道了。

"巨——人，熊——"蒂图撒娇，没有意识到危险。

艾凡歪着头，莉娜在想，它应该是对蒂图的话有一定的反应。

莉娜松了一口气，她低声说道："我很高兴你喜欢我的小弟弟……"

艾凡抖动着身体，溅了蒂图一身。惊讶的是，蒂图只微微地叫了一声，然后赶紧去找姐姐。

艾凡站起来走了。莉娜望着它，直到它消失在那片乔木林里。

回到山洞的时候，莉娜赶紧给有些发抖的蒂图换衣服，把衣服拿去那边晾干。抬起头，莉娜吓了一跳，眼前竟然有只鹿！好大呀！它骄傲地抬起头，还带着它那巨大的树。它看起来并不害怕人，安静地往小河那边去了。

"多滑稽啊，"莉娜自言自语，"这些动物都不怕我，艾凡应该跟它们提前打好招呼了：'咕咕，你看见了吗？山上又有了一个新主人！我的朋友它是那么善良！'

鸟儿、松鼠、麋鹿都同意我来分享它们的领地。谁会是下一个呢？黄鼠狼？还是兔子？我好喜欢小兔子。"

蒂图饿了，嚷着要他的奶瓶。但是莉娜想给他一些浓稠的食物。她煮了些米，然后加了些番茄酱。

到了该午睡的时候了，蒂图一直在打哈欠，但他不想睡觉。莉娜才想起来她忘了带音响了。但没关系，她可以给他唱勃拉姆斯的摇篮曲。伴随着最后一个拉拉拉的声音，蒂图终于睡着了。

莉娜眼睛里闪烁着思想者的光芒，她回想起蒂图跟艾凡的相遇，"它应该可以很好地带小孩……"

她不是答应了要给艾凡甜点吗？晚上，她在矮墙后倒了些蜂蜜，明天早上他一定会过来吃的。

她想它可以经常过来，就像是一个约会一样。真正的朋友不是都有约会的吗？

莉娜决定要开始收拾房间了。她用棍子划线，分出一些房间，她大声地说道："这里是过道。那里，是餐厅，还有一个小小的厨房。"

她往餐厅里搬了两块大的平的石头，"这就是我们的椅子……"

接着，她把一些石头堆起来，在上面放了一块更大的石头，还给盖上了一条毯子。

"这就是桌子啦！"

莉娜看到墙壁上有块凸起的地方，高度跟她差不多，她把储物盒、锅、小火炉放在上面。

"好啦，厨房完工了，就剩下卧室了。"

在山洞深处，莉娜发现了里面还有一块沙质的地方。蒂图醒了之后，她把睡袋铺在那里，并铺开了毯子。在墙上另一块凸起的地方，她放了妈妈的照片还有她的洋娃娃。然后莉娜用树枝将洞里打扫了一遍。打扫完之后，莉娜开始欣赏她的劳动成果。

"多点装饰就更好了……"她自言自语。

她出了山洞，靠着矮墙坐了下来。天已经开始黑了，她听到蒂图在哼摇篮曲……

"啦啦啦……"

"过来，蒂图，我在这呢……"

她向周围看了看，她希望晚上可以再来一个客人。突然，她有些吓到。她确确实实迎来了一个客人，但这个客人不是戴菊莺，也不是小松鼠。而是西蒙！

26

他就坐在岩石坡坡脚。肩上背着包，手里拿着他最爱的望远镜。

"嗨。"西蒙对她做了一个手势说。

"哦，西蒙！你在这做什么呢？"

"我就知道你在这里。如果可以的话，我早就来了。哇！这里很不错啊！"他边说边走进山洞里头，"蒂图，你好呀！你的新家很漂亮，对不对？你喜欢吗？"

"亮，就像鸟一样。"

"呃……你能给我翻译一下吗？"

"他说，山洞很漂亮，就像鸟儿一样漂亮。今天早上，我们看见了戴菊莺、小松鼠，刚刚还看到了麋鹿！"

西蒙坐在厨房的"椅子"上，他递给莉娜背包，"看，我给你带了一些储备粮食过来。当我听说你失踪的时候，我就跑过去你家了。"

"啊！你看到我奶奶了吗？"

"嗯，她让我念给她听你写了什么，因为她把眼镜弄丢了。"

"眼镜？但是她的眼镜就放在床头柜上，压着纸条呀！"

莉娜有些困惑，这件事令她有些苦恼。太奇怪了。但是想想，她记得以前奶奶经常给她讲同样的一篇课文，奶奶也总是拒绝给她念课文。另外，复述课文的时候她也总是戴着眼镜的。这是怎么回事？她总不可能不识字啊！

如果她真的不识字呢？这个想法让莉娜心里一惊。

她没时间可以想那么多，西蒙接着说："你哥哥正在找你，还有你爸爸。拉惠雅还要再进行猎杀行动。人们都责怪他们。这是你奶奶告诉我的。这个人，该让他也冬眠了！"

"谁？"莉娜问。

西蒙哈哈大笑："拉惠雅呀！但是是永久冬眠！"

西蒙在书包里掏东西，然后拿出来一个包裹："给，这是芬妮给你的。"

"她知道了？"

"全村都知道啦！今天早上她来我家了。"

"她跟你说了什么？"

"你找了一个很好的理由离家出走。"

莉娜打开包裹，看到一张便签放在内衣上面，写着：

我不知道你还要在山上待多久，所以我就把我的内衣借你啦。你想想，早上醒来就发现自己有了丰满的胸部，就跟两个大西瓜一样。山上你根本也买不到东西！亲吻你。我与你同在。

芬妮

芬妮！她多么善解人意啊！她什么都问我也不责怪她。她寄来了她作为朋友的一份关心，只不过是以她自己特有的方式。

"你还有看到它吗？"他们正吃着阿莫娜给的烤鸡，西蒙问。

"艾凡？有的，好几次。它知道我在这里。我觉得这里就跟我家差不多。我都想让自己做一只小动物了。"

"我明白。有时候在森林的时候，我会在炮台上待上几个小时，一动不动地，就想着能不能看到动物。最后，你跟大地融为一体，也闻到了它的味道。"

"我想起来了，我应该在外面给艾凡倒点蜂蜜。等我一下！"

天很快就黑了，接着下起雪来。巨大的雪花堵住了洞口，莉娜点着了火炬。洞里有股浓重的沉默，好像一件雪花外衣覆盖了自然界所有的声音。

"你为什么要离家出走？"西蒙突然问道。

莉娜告诉他，关于玛丽昂·阿里艾答、福利之家、爸爸签的文件……她提高了分贝，总结道："没有人可以把蒂图从我身边带走！"

"嗯，没有人！"蒂图看到莉娜生气了，插了一句。

"但是你待在这里也找不到可以带蒂图的人呀。你在希望什么？"

莉娜耸了耸肩，"我不知道，但我也做不了其他的事。你没有试过你不知道，因为觉得自己是对的所以就冲动做了这么一件事。"

西蒙想了想，"有。在我看到我的第一只熊的时候。我轻轻地跟在爸爸身后，虽然爸爸已经命令禁止了。他没有看到我。有一些东西一直推动着我前进，世界上那些被禁止的事更给了我更多前进的动力。但这不是生活中必须的，对你来说也一样。对了，我睡哪儿？"

"啊，你晚上要留下来啊？"

"是啊，除非你不想我留下来。"

"没有，当然想啊。你有带睡袋吗？"

"嗯，都在我包里呢！"

"太棒了！我去看着蒂图，你就自己收拾一下，卧室在最里面，那里可以御寒。你看吧，一切都很好！"

西蒙蜷缩在睡袋里，睡着之前，他哼唱着：

　　它说，我也说

　　你是一个多么奇怪的女孩啊

从此之后，不会再有这么奇怪的人

她的家，在森林

熊是她的朋友

夜里，她跟它讲话

它说，我也说

这个女孩，

她不是平凡的女孩！

莉娜接着唱：

我有一个朋友

夜里，他哼着歌

从此之后，不会再有这样的人……

山洞里回荡着他们的笑声。

27

　　西蒙很早就走了。走之前，他只说了几句话："没必要担心我爸爸。如果你需要我的话，我会留下来。"

　　莉娜在回答之前犹豫了一下："不用了，如果可以的话，帮我带消息给奶奶吧……"

　　西蒙答应了。

　　雪继续浓密地下着，根本就没办法外出。为了找点事做，莉娜找了块白色的石头，在墙上画了一些花，一幢房子，一个太阳，一棵树，一只猫……

　　"漂亮……"蒂图说，"啊，巨人！"他用手指着山洞的入口。

莉娜转过头，艾凡它在那。蒂图笨拙地跑去它那里，就跟小熊仔一样。莉娜跟着他过去。

"嗨，艾凡！蜂蜜好吃吧？还要吗？"

艾凡在矮墙后面来来回回地走，莉娜想它应该是在等待什么。

"你觉得孤单了？我想，你应该不会冷吧？"

它的背上覆盖着雪花，就像一个活生生的雪人！

蒂图向艾凡伸出手，接着开始爬墙。莉娜冲过去，但是已经太晚了！蒂图从墙上翻下来，先是头，掉在了艾凡的脚边。他大声地哭着。

艾凡闻了闻他，鼻子里呼出浅浅的气，好像在鼓励蒂图自己爬起来。令人惊讶的是，蒂图停止了哭泣，开始站起来。莉娜赶紧过去抱他。

"啊……波波……"

"波波？没有呀，你看，什么都没有。是雪才会冷的。"莉娜边说边往蒂图脸上呼气，"这样有没有好一点？"

莉娜从来没有想过一只熊会做这样的动作。但如果是艾凡做的，她并不惊奇。

"艾凡，你知道吗？你会是很好的哺育者，会是一个好爸爸。我去给你找些剩饭！等我，很快的！"

莉娜跟弟弟回到山洞里，在那些储备物里面挖了又挖，终于让她找到了三个玉米棒子。

艾凡还在那里。莉娜把玉米棒子放在矮墙上。它会在她面前把玉米棒子都拿走吗？她不想打扰它，就回到了弟弟身边。在走远之前，她小声说："你好漂亮！又这么善良！我很幸运你是我的朋友！"

天黑了，刮起风来，雪花纷飞。蒂图拿着奶瓶，睡得很安静。莉娜困了，但她必须要去趟厕所。她带上了手电筒。尽管现在有暴风雪，莉娜还是爬上了小山丘，终于找到了一个隐蔽的角落。她准备往回走的时候，听到了嗡嗡声，好像嗓子不舒服发出的声音。她依稀可以看到远处的光。那里有人……莉娜想探个究竟，她决定过去看看。

他们正围着一团火：爸爸，托尼，还有西蒙的爸爸。附近支起了一个帐篷。她听到爸爸说："她在信上说熊是她的朋友。这是什么蠢事啊？"

"她自己编的故事吧。"西蒙的爸爸说，"你知道的，那些孩子呀！他们想象力多么丰富！"

"莉娜是可能做为熊的朋友的。"托尼说，"她跟动物有着一些特殊的联系。"

"是啊，但是熊，它们不可能这么被驯服啊！"西蒙的爸爸说，"你知道她为什么离家出走吗？"

过了一会儿，托尼解释说："她拒绝让蒂图去福利之家。但我们也没有别的办法了，村里没有别的哺育者了。"

"但是带着一个小孩离家出走，这事很严重。这孩子，她会过得很辛苦啊……"

"怎么，你们还觉得她会过得好吗？自从我妈死了之后，她就是孤单一人。蒂图就是她的一切。"

"不是还有奶奶吗……"爸爸小声地说着。

"是啊，当然。但是这并不够。可怜的莉娜！她几乎都在照顾蒂图，我们谁也没有说要帮她一下。"

她的爸爸往火堆里加了点东西，溅起了火花。

"我们能做什么？什么都不能！阿莫娜太老了，照顾不了他，我要工作，你也要工作，连奶妈都没有！我能做什么？"他又强调了一遍。

"什么都能做。你是她爸爸。"西蒙对他说，"她的逃跑就是一个求救的信号，她想要引起你的注意。"

莉娜看到爸爸站了起来，动作不利索，有些摇晃，就像犯错被阿莫娜捉了个正着。

托尼声音艰涩地对他说："他说的对。爸爸，问题不在奶妈。你很清楚。不要假装不知道了。"

"你呢？"爸爸反驳，"你有照顾他们——你的妹妹和弟弟吗？"

"没有怎么照顾他们，是，这是真的。如果我可以做一个好哥哥，他们可能会好受一点。但如果你之前就是一个好爸爸的话，这一切可能就都不一样了。我不可能什么时候都照顾他们。"

"你想说什么？"

"我说，每天喝得醉醺醺的回来，这不是生活。你还是不要再这样了会比较好。这样我也就不用永远地看着你了！"

爸爸冲向托尼，把他按倒在地上："不要对我这么说话！我是你爸爸，你不要忘记了！"

"是，没错。但是，我们也可以说你不是。我还记得你也是莉娜和蒂图的爸爸吗？那就向他们证明你是个负责任的爸爸！"

爸爸瘫了下来，他放开托尼，往帐篷走去，迅速地拉上拉链，把自己关在里面。

托尼继续往火里添加树枝，他跟西蒙的爸爸两个人继续低声谈论着。莉娜等了一会儿，她觉得自己都快冻僵了，现在暴风雪正强劲，她必须走了。

她原路返回，低着头，迎着风，她觉得脸都快被寒冷吞噬了。

莉娜下了小山丘，松了一口气，急忙跑回洞里面。但是一到那，她觉得自己心跳都快停了：蒂图不在睡袋里。

28

"蒂图,你在哪? 不要玩了,一点都不好玩。快出来! "

蒂图没有出现。

"蒂图,"她继续叫着,"出来,我给你蛋糕吃。"

蒂图还是没有出来。

"蒂图,我告诉你呀,我要生气了,我要瞪你了! "

没有笑声,什么都没有,蒂图不在这里。

莉娜惊慌地冲出山洞,在一片黑夜里寻找着。

"蒂图,回来啊,你那么怕黑……"她的声音里夹杂着抽泣。

莉娜努力地在找回自己的理智,努力要清醒。他会去哪里呢？风把所有的印记都刮没了。

"集中精神，集中精神……"她一遍又一遍地跟自己说，"我可怜的蒂图……"

莉娜想象着这个画面：蒂图醒了，他看不到莉娜很害怕。他喊姐姐的名字，去找姐姐。跟早上一样，他爬上了小矮墙，然后就出去了。但是往哪个方向去了？小河那边？这里最容易到那里了。

她拿上了手电筒还有弟弟的羽绒服。

一路上，她都喊着："蒂图，你在哪儿呀？"

然而她能听到的回答也不过是风呼啸而过的声音。

"妈妈，帮我把他找回来吧，我求求你……帮我！"莉娜在心里暗暗地祈求。

莉娜还是没有看到蒂图。这时，在她面前，有一大团黑色的东西，在白雪皑皑的雪地里特别显眼。

她走了过去，听到了呼噜声。她又走近了几步，才知道那是艾凡。它睡着了，它睡在一块突出的石头下面。莉娜看到靠着它后爪的那边有团东西，这团东西的颜色很眼熟。

"艾凡,是我,莉娜,你的朋友。"

艾凡轻轻地哼了一声。它认得她！她又往前走了一点……

那团紧紧贴着艾凡后爪的东西,是蒂图！他正穿着它的红色睡衣！胸部此起彼伏,他睡得正熟。莉娜累极了,她就这么坐在她旁边,抽泣:"我很怕……谢谢你,艾凡。"

艾凡本能地挪了挪它的爪子,给莉娜腾出点地方。

害怕、寒冷、疲倦侵蚀着莉娜。她朋友的温度让她慢慢暖和了起来。过了一会儿,莉娜合上了眼皮,她睡着了。她没有看见离艾凡十步远的那个男人,他在树上看到了这一幕。

两个小时前,他听到了小孩的哭声,他边往前走边呼唤。他看到一个小男孩因为害怕而叫得很大声。接着就有一只熊,颇具攻击性,展示出它的獠牙,站在这个入侵者面前,后者必须去最近的树上躲着。

最终,这只熊没有跟着这个入侵者,它去照顾这个哭着的小孩,他快冻僵了。过后,他看到一个脆弱的身影慢慢靠近这只熊，他听到抽泣，接着就没有了。

这个人他等着，也在一旁看着。他想……

儿子的话让他一直烦扰着他。这就是他离开帐篷的原因。

他想了想这过去的两年，悲剧的两年，他试图要驱逐自己的悲伤，试着要在酒精中忘却自己的愤怒。

他拒绝爱自己的小孩，这是他对死去的妻子的报复。妻子阿捏斯的头发有着那么浓重的金栗色，她也喜欢小动物……

长期以来一直存在的那个想法又占据了他的心：为什么你要离开？你没有权利扔下我……你看我变成了什么样子……

一个醉鬼，与世隔绝，把自己困在痛苦之中。一个没有志向的男人，甚至抛弃了自己的孩子，对他们的孤独无动于衷。

就是这只动物，他和那些猎人们想要猎杀的熊，保护了自己的孩子。而现在，它继续保护着自己的孩子，远离山里的危险，远离黑夜，远离冰冷刺骨的寒风。它做了一个爸爸该做的事。

寒冷对于这个男人似乎没有任何作用。几个小时过去了,暴风雪渐渐停歇了。黑夜的寂静让人觉得厌烦。

天还很早的时候,莉娜的爸爸醒了,他看到自己的两个孩子靠着熊,他哭了。

29

莉娜睁开了眼睛，因为艾凡，她觉得好热。艾凡站在那儿，发出低沉的叫声，发生什么事了？

那里，有个人靠着树坐着。莉娜认出来那是她爸爸。他温柔地说着话，但不是对莉娜说，是对艾凡说。

"熊，你保护的这两个人是我的孩子。我很感谢你照顾他们。你给我上了很好的一课。"

莉娜的爸爸把树底下的泥土压了压，他看起来很悲伤，就像小孩一样失落！他的肩膀慢慢下沉，好像他就快消失了一样！他看起来是那么的脆弱……莉娜僵住了，她被打动了。妈妈的话一直在她耳边：我的小加洛特,好好照顾他……

妈妈是不是也嘱咐她要好好照顾爸爸？妈妈害怕自己的死会让他变得颓废,他会失去生活的欲望,失去奋斗的欲望。他是一个不幸的父亲,心里藏着那么多的隔阂,他会没有留下地址就离家出走,他将自己封闭起来,嘴巴紧闭,心如磐石。

妈妈相信她的女儿,她知道该怎么继续生活,跟自己的丈夫恰恰相反。莉娜的性格跟她一样。

"蒂图会继续和我们生活,"那人继续说着,"我的大儿子托尼,他已经找到了解决办法。但莉娜还不知道。你可以走了,我向你保证,从此之后我会做一个好爸爸！"

莉娜如此震惊,她无法相信。她闭了闭眼睛,一种轻松的感觉迎面扑来:"最终胜利了！ 但……托尼有什么好办法？"

艾凡站了起来,一边左右摇动着自己的头,一边端详着面前的这个男人:他没有做一点富有攻击性的行为,他的声音不具有攻击性,他没有危险。艾凡觉得是时候冬眠了。它朝着森林走去的时候，莉娜对着它低声说道："再见，艾凡……我不会忘记你的！"

太阳从山后面探出头来。艾凡静静地走向自己的巢穴，这时蒂图醒了。莉娜赶紧给他穿上羽绒服。

"巨人走了？"

两个孩子的爸爸起身向他们走来。莉娜开始发抖。她很想跑过去，钻入他的怀抱，但她麻痹了。

"爸……爸？"她结巴了。

接着响起了一声劈啪声。枪声！莉娜大喊："不！"

拉惠雅！是他！他躲在松树后面，手里拿着枪，看着艾凡的离开。

"不！"莉娜又喊了一声。

艾凡停下来，站了起来。它张开嘴巴，愤怒地叫着。

那个子弹打到它了？看起来没有，因为艾凡扑向了拉惠雅。

砰！

拉惠雅是一个非常出色的枪手。或者说，他打的子弹没有一只熊可以逃得过。

莉娜一边跑向拉惠雅，一边想：艾凡怎么可能现在还能站着？这是怎样的一个奇迹啊？

"不要！"

这次他没有时间开枪了，因为艾凡一个极快的速度扑向他。他只能无力地躲在树后面，等待这只猛兽的攻击。

"不要！艾凡！不要！"莉娜大喊。

拉惠雅害怕地看着熊站在他面前，它长长的爪子能把他撕裂，它尖尖的獠牙能把他咬碎，这时，拉惠雅前额的汗珠直往下流……

莉娜张开双臂站在猎人面前，她对着正在发怒的熊说："我求求你……放过他吧。他们会报复的，会杀了你。这一切永无止境。"

艾凡停了下来，它在听。尽管这个男人身上发出一股死肉的恶臭，艾凡好像还是听从了莉娜的指令。

在同一时间，汤姆·拉惠雅的狗突然出现，它扑向艾凡，试着要咬艾凡的爪子，好像这只猛兽不过是只普通的绵羊而已！它狂暴地跳了起来，一边还恼怒地狂吠。然而，艾凡无视它。艾凡最后低沉地嗷叫了一声，吓到了拉惠雅，艾凡放下了自己的前爪，犹豫不决，最终它走了。但是猎熊紧咬着它不放，追了过去。这次，艾凡转过头，闪电般地把它抓起来，用力地扔出去。猎熊就这么飞了，掉在地上，发出可怜的"咔咔"声。

莉娜笑了。这只狗惹到艾凡了。下次，它要怪罪熊之前应该好好想一想。它就跟它的主人一样蠢。就在这时，它的主人来到它旁边。这个男孩失去了他往日的傲慢，避开了莉娜的眼光。

我是对的，你就是一个英雄……看着熊远去的背影，莉娜低声咕哝着："再见！"

莉娜顾不得已经倒在地上的那个猎人，她跑过去找她爸爸。

她还在震惊之中，她听到了这些话，就像远处的回音，撞击着她的心："我的太阳，让我看看你光芒四射的样子吧！"

他张开双臂，莉娜把头埋在了爸爸的羽绒服里，她大声地哭了起来。她哭了很久。她把这两年积蓄的悲伤都哭了出来。

30

过了一会儿，莉娜抱着蒂图下山了。爸爸默默地走在他们旁边。又过了一会儿，爸爸看莉娜气喘吁吁，他说："把蒂图给我吧。他对你来说太重了。"

莉娜要把蒂图抱给他，但是蒂图不肯："不要！啊，吓……"

莉娜又抱了回来。

"给他一点时间吧，"她对爸爸说，"他对你不太熟悉。"

她的父亲表示赞同："我们会驯服他的。"

托尼跟西蒙的爸爸走在他们后边，他们边走边讨论着。托尼……她欠了他一个很大的人情！如果他没有把拉惠雅的子弹给换了，艾凡可能已经死了。因为都是放得空炮。

"我很害怕你跟蒂图会发生什么。"当他们一家人在帐篷的时候，托尼向她解释。一枚没有打中的子弹……

他冒了很大的险。

"如果拉惠雅被撕碎了，你会遭到控告的。"西蒙的爸爸对他说。

"我知道。"托尼答道。

莉娜想到拉惠雅。她看到这个猎人双腿哆嗦，跟着儿子走了，他的儿子还带着一只受伤的狗：一个战败者的随从。这是莉娜看到的有关他们的最后画面了……

她加快了步伐，她希望赶快见到阿莫娜。不知道她有没听到枪声？如果她听到了，一定很慌乱！莉娜希望她没有听到。

她的奶奶搞错了，她从没想到过蒂图在她生活中有多重要。

看，那两只猫头鹰，紧紧地依偎在一起睡觉；那棵橡树类似脐眼的地方是小松鼠的巢。更低一点的地方，她不会错过的，那是满布红色浆果的灌木丛，如此地浓密，远看上去就像一个巨大的苹果……

"你认为米什卡是它的妈妈？"托尼问西蒙的爸爸。

"显然。米什卡被猎杀的时候，它刚刚从冬眠的洞穴里出来。小雌熊出生了几个月了。"

莉娜转过头："小雌熊？哪只小雌熊？"

"莉娜，你的朋友。"

"我的朋友？艾凡？你说它是一只雌熊？"

"嗯。"

莉娜沉默了一会儿。

"怎么……您怎么知道它是一只雌熊？"

"通过观察它的足迹。公熊的会更大更深，况且，公熊是不会这么对一个孩子的。"

莉娜从来没有想过艾凡会是一只母熊！然而，如果她仔细地回想一下，这也并不意外。她看到艾凡是怎么对蒂图的，那么温柔，它是一个保护者。她自己不是也说它会是一个很好的哺育者吗？

"对待这只母熊应该像妈妈一样，"西蒙的爸爸接着说，"正常的话，这个季节它应该怀有小熊仔，它的妈妈天生也有很强烈的母爱。"

"您怎么这么说？"

"通常，受伤的熊会极攻击性。尽管那时米什卡流了很多血，但她还是逃跑了，就为了让猎人远离那个藏着小熊仔的地方。"

莉娜听着，她吃了一惊。米什卡是一个女英雄！多么有性格啊！跟艾凡一样！为什么不叫它艾瓦娜呢？这是一个温柔的名字，跟米什卡一样。艾瓦娜，米什卡的女儿。听起来很好呢。

"我们会想办法找一只公熊过来，"西蒙的爸爸接着说，"这件事需要财政拨款，我会去跟政府说这件事，你们可以相信我。接着，等春天它再醒过来的时候，就很有可能会有一只漂亮的公熊围着它打转……"

莉娜看到了她家。那窗户后面应该是阿莫娜的影子吧。

过了几分钟，门开了。阿莫娜出现在屋檐下，她看着他们走近。她双手紧握走向她的儿子，低声说道："宏日艾托里……"

她欢迎他回来。莉娜明白这个词里含有特殊的意思。在今天它意味着：我的儿子，你终于做回自己了，我终于把你找回来了！

回家之前，她的爸爸跟临走的西蒙父亲交谈了几句。

阿莫娜走近莉娜跟蒂图，抱紧了他们。接着，她用手捧着莉娜的脸，说了那句莉娜意料之外的话，与第一次一样，饱含着虔诚："上帝保佑你！"

就像第一次听到这句话一样，莉娜高兴得颤抖。

31

莉娜跟着阿莫娜回了家。威利舅舅也在那儿，他在左边一点的地方。他走近她："你这么固执是对的。"

他若有所思地抚摸着蒂图的脸颊。他又恢复了好气色。

"我之前还认为是你父亲打了他。对不起！"他低声说。

莉娜点点头。他是一个好人，但是他也搞错了。

炉火欢快地跳动着，莉娜只有一个想法：蜷缩在摇椅上，就这么坐着。一种轻微的麻痹感袭来。她环顾了一下：他们都在。阿莫娜抱着蒂图睡着了。威利舅舅,托尼还有她的爸爸也都在。

莉娜慢慢睡着了。

莉娜在一种烧焦的味道中醒来,这是她最喜欢的菜了:有土豆,肥猪肉丁,还有融化了的奶酪!还有面包片!她觉得自己都快饿死了。

这时突然有人来敲门。她的父亲去开门:"进来吧,孩子们!莉娜,我请了你的朋友过来吃午餐!"

"西蒙!芬妮!"莉娜欢呼,她太开心了。

"嗨,莉娜!"西蒙对她说。

"你真是的,"芬妮说,"当你脑袋里有很多想法的时候……"

"如果你是我,你会怎么做?"莉娜问。

"跟你一样。"芬妮回答,"都会一样,除了……"

莉娜疑惑地看了她一眼。芬妮解释道:"我不知道自己有没有你这样的勇气……"

"吃饭了!"阿莫娜低声唱着,手里端着热气腾腾的菜肴。

吃饭的时候,莉娜问托尼:"你的办法究竟是什么?"

"我认识一个女孩,她现在没有工作,她也喜欢小孩子。"

"我认识不认识?"

"嗯,你见过她一次。"

莉娜的脸上闪了闪,"是她?！电影院的那个女孩?"

托尼点头。

"那她是你的女朋友?"莉娜说得很大声,"我就知道!"

"我什么时候否认了吗?"托尼反驳,"你这么好奇!"

"太棒了！我替你开心。她叫什么?"

"玛蒂尔德。"

"嘿,蒂图你听到了吗?你会有一个叫做玛蒂尔德的哺育者哦!"

"玛蒂尔德?"

"嗯！我见过她,我肯定她一定很善良。"

"善良的玛蒂尔德。跟艾凡一样?"

吃完午饭,西蒙的父亲从他的口袋里掏出一张纸。

"我给协会的报社写了一篇文章。莉娜,我很荣幸引用了你的看法,还有拉法尔各先生您的。"

莉娜阅读了这篇文章,是从母熊的角度写的。文章里写了这只母熊在熊妈妈被杀之后如何继续生存,它惊人的适应能力,它极端的孤独,还有它对同伴的需求。莉娜被感动了。

"写得真好!我希望人们可以明白……"

她把文章递给爸爸,看完之后,他也很欣赏:"真的很好。但是最难说服的就是那些猎人了。"

他把文章还给西蒙的父亲,他父亲又递给了阿莫娜:"您想看一下吗?"

莉娜打断了他:"这没关系的!奶奶我给你复述一遍。"

阿莫娜起身收拾餐桌。莉娜收起酒杯,跟阿莫娜去了厨房。奶奶已经把手放到肥皂水里面了。

莉娜环抱住她,把脸颊贴在奶奶背上,向她承诺:"奶奶,我教你识字。这是我们之间的秘密。"

这三个好朋友还有蒂图在莉娜的房间里度过了一个下午。

给他们讲完最近发生的事情之后,她总结说:"爆炸性新闻就是，春天的时候艾瓦娜会碰见它生命中的那只公熊！我希望它不会挑三拣四！"

"那我呢？"芬妮抱怨道，"你什么时候要把它介绍给我？我是唯一一个没有看过它的人。"

"不要担心，你会看到它的。"莉娜保证，"西蒙，你还记得我跟你说过吗？好像它的思想烙印在我身上，现在我很肯定，我的思想烙印在它身上了。当我去山上的时候，它一定会过来跟我问好的。它不会忘记我。"

然而，莉娜没有告诉他们，明天她要回山洞收拾东西。她坚持一个人跟爸爸去那边。明年春天，他们会三个人一起去。

西蒙的爸爸在外面叫他们，该回家了。离开房间的时候，芬妮问莉娜："你有没有穿上我给你的内衣？"

莉娜笑着摇摇头："它还放着呢。我还不需要，我会还你的。"

"不用了，一定不要。你记住：有时候胸部是可以一夜之间长大的！我们永远也不知道会在什么时候发生在谁身上。但是它有可能发生在你身上，你！关于成果嘛,你一定会习惯的! ”

在离车不远的地方, 西蒙俯下身来亲了莉娜的脸颊,他在她耳边轻轻说道:“莉娜,好好照顾自己,明天见! ”

坐在车里的芬妮,一副嘲弄的表情,没有错过这个画面的一丁点儿细节……

车门关上后,车子启动了。后车窗上出现了芬妮欢快的脸庞。她清楚地说了几个字,莉娜不费吹灰之力就猜到了:哦,恋爱中的人!

莉娜朝着家里走去,蒂图碎步跑向她,刚刚他可能在透过窗户看到了,牙牙学语:“好吗? 西蒙? ”

小加洛特将他举起来,一直转啊转,转啊转……蒂图清晰的笑声,伴随着她心里那欢快地跳动声。